問う方法・考える方法

「探究型の学習」のために

河野哲也 Kono Tetsuya

★——ちくまプリマー新書

372

本文イラスト　かわいちひろ

目次＊Contents

第一章 「探究」とは何か

第一章 「探究」とは何か

1 自分の人生の課題を解決する

二〇二二年度から、学習指導要領の改訂によって高等学校の「総合的な学習の時間」は「総合的な探究の時間」に変更されます。

その目標は、文部科学省の指導要領によれば、「探究の見方・考え方を働かせ、横断的・総合的な学習を行うことを通して、自己の在り方生き方を考えながら、よりよく課題を発見し解決していくための資質・能力」を育成することにあるといいます。

ここには、今後の教育と社会のあり方を考えるためのキーワードがいくつもあらわれています。「横断的・総合的」「自己の在り方生き方」「よりよく課題を発見し解決していく」がそうです。

「横断的・総合的」というのは、**複数の科目や専門性を貫いて、それらをまとめて、と**

いう意味です。化学でも、美術でもある活動。体育でも、社会でも、文学でもある学び。生物学でもあり、歴史でも、家庭科でもある課題。こうしたものが、横断的・総合的な学習です。

具体例が思いつくでしょうか。たとえば、これまで捕れていた川魚がなぜか捕れなくなって、その魚を使った郷土料理が食べられなくなった。その郷土料理を残したい、食べ続けたい、と考えたとしましょう。こうした探究は、まずその魚についての生物学や生態学を調べて、なぜその魚が減ってしまったのかの原因を知る必要がありますし、郷土料理の歴史や作り方（家庭科）を知り、そして、いつ頃からその魚が捕れにくくなったのか、社会や産業の変化、それをもたらした政策などのさまざまな科目と学問が関係してくるはずです。

「自己の在り方生き方」というのは、**学校で習うことを自分の人生と結びつけることの大切さ**を言ったものです。これまでの勉強は、「将来役に立つから、まず一定の知識や技術を身につけておきましょう」と言われて、さまざまな科目を学ぶようになっていました。でも、今身につけなければならないとされている知識が、自分の将来とどのように結びついているかわからないと、学ぶ意欲があまりわかないでしょう。自分の将来の生き方を思い描きながら、そこでどのような知識や技術が必要となってくるかを想像してみる時間が必要です。

「自分の将来」というと皆さんは、すぐに就業のことばかりを考えるかもしれませんが、それだけではありません。たとえば、あなたは、将来はパティシエになって、自分でお店を開きたいと思うかもしれません。そうした生活でも、家庭と仕事をどう両立させるか、地域での人とのつながりはどうするか、こうしたことが気になりますね。お店を営むには、いろいろな経営の知識や、資格や営業許可など法律の知識も必要です。自分の営んでいる店が属している地域の商店会で、市議会に候補を立てようということになるかもしれません。そうなると、政治にも関係してきます。もしかすると商店会で土地利用の問題が起こって集団で訴訟を起こすことになるかもしれません。そうなると、司法や裁判にも関係してきます。学校で勉強することが、自分の人生のなかでどうつながっているか知ることは、科目の内容を知ることと同じくらいに重要です。

そして、**自分の人生で、今何をすべきなのか、どうすれば自分の目標を達成できるの**

か、どういう人生が幸せな人生なのか。自分にとって何が課題なのかを発見し、それがどうすればよくなるのか、その解答を見つけていく。これが本当の勉強のはずです。

「研究すること」と「生きていくこと」が分けられない社会

ですから、私は、探究型の学習はこれからの小中高校では、最も大切な科目になっていくと考えています。また、探究型の学習は、小中高だけではなく、大学や大学院、さらに社会人になっても求められるものです。なぜなら、これからの社会は、「研究すること」と「生きていくこと」とが分離できない社会になっていくからです。とりわけ、仕事（働くこと）と研究の結びつきは今よりも強くなっていくでしょう。

「ずっと〝学ぶ〟ことが大切というのはわかるけど、〝研究〟というのは大げさじゃないかな」と思うかもしれません。しかし、ここで言う「研究すること」とは、知識を暗記したり、与えられたテスト用紙の問題を解いたりするようなことでは、もちろんありません。科学の実験のように実験器具や装置に囲まれてするものだけを研究と呼んでいるわけではありません（それも含まれますが）。

ここで「研究」と呼んでいるのは、**自分の人生の中で出会う実際の課題を、知的な探究の対象として深掘りして、さまざまな知識やスキルを総動員して何とか解決しようとすること、そしてそれを、後の自分のために、他の人のために、整理して再び知識やスキルとして保存していくこと**、そういう意味での研究なのです。要するに私たちは、社会のさまざまな場面において、隠れていた問題を見つけ、それを調べて、解決するという過程が求められている時代に生きているのです。

この本の目的

しかし具体的には、探究とはどのような学びなのでしょうか。それはこれまでの勉強とどのように異なるのでしょうか。現代社会で、なぜそれほど求められているのでしょうか。探究が必要であるとすれば、どのように学べばよいのでしょうか。

本書では、このような疑問に答え、若い皆さんに**探究することの意味と楽しさを知ってもらい、探究の仕方を実践的に身につけてもらうこと**を目的としています。

本書の特徴は、第一に、高校での「総合的な探究の時間」のために、生徒が読んでも、先生が読んでもよいように書きました。内容的には高校生には少し難しいところもあるかもしれませんが、先生が一緒になって探究してくれるなら、実行可能なレベルを想定しています。

また本書は、大学での一般的な研究方法を学ぶ大学初年次のセミナーにも使えます。また、やり方を工夫すれば中学生でも「総合的な学習の時間」で実行できると思います。そうした探究型の学習のためのテキストとして利用してもらえれば、筆者としては嬉しく思います。

本書の第二の特徴は、探究型の授業に対話の機会を数多く組み込み、生徒同士、学生同士の「対話」を中心として学習を進める方法を推奨している点です。最初のテーマと問いの設定、プレゼンテーションにおける質疑応答、レポートの中間発表や相互評価など、対話的なインタラクションで学習を進められるように考えました。これは筆者が実際に、高校や大学の授業・セミナーで行っているやり方です。一見するとたくさんの内容が詰まっているように思えますが、一年間の計画として考えれば、じっくり進められる内容になっています。ぜひ、学校や大学で対話を軸に据えた探究を行ってみてください。

第三に、対話を重視することからの必然的な帰結ですが、グループでの探究を重んじていることです。探究は、「探究の共同体」と呼ばれるグループを作って行うことが、個人で行うよりもよりよい成果を生むと考えられます。探究のテーマそのものは、それぞれ各人で異なっていても、あるいはグループやクラスで共通であっても構いません。ただ、調査や内容の検討を共同でディスカッションしながら行っていくことは、一人だけで探究するよりも、学びにはるかに深まりが生まれるのです。

本書では以下のように話を進めていきます。第一章では、現在の世界、私たちが暮らしている現代社会の変容の仕方とその特徴を述べ、そこでの学びも大きく変わりつつあることを述べます。そしてその中における探究型の学びの大切さを説明します。第二章では、探究型の学びをどう進めるのか、その基本的な姿勢を説明します。最も大切なのは、探究する動機とその動機を深い学習へと進めるやり方です。第三章では、探究するテーマと問いを見つけるために哲学対話という方法を推奨し、その具体的なやり方について説明します。第四章では、情報収集と文献の読み解き方について説明します。そして、第五章ではプレゼンテーション、第六章では、レポートの書き方を具体的に説明します。プレゼンテーションやレポート作成でも重視されているのは、双方向的なコミュニケーションであり、対話的なやりとりです。発表における質疑応答の仕方、レポートを相互に評価する仕方に特徴があります。

2 変わりつつある世界

現在日本では、探究の時間への変更も含めて、大きな教育改革が行われようとしています。その原因は、世界が、これまでの数百年続いていた文明の流れが転換するような、とても大きな変化の節目にあるからです。日本もその影響を被らずにはいられません。世界はどのような点で変わろうとしているのでしょうか。

まず、**世界がひとつになろうとしている**点です。こう言うと、「いや、今各国は緊張関係にあって、それぞれの国が自分の狭い人間関係に閉じこもろうとしている。だから、外国人差別とか、移民排除とか、マイノリティの人を鬱陶しがったりする動きが起きているのではないか」といった反論がすぐに出てくるでしょう。確かに、イギリスはヨーロッパ連合を脱退しましたし、国境の壁を高くして移民を入れさせない法律を強めている国もあります。

それはその通りですが、そうした動きは「反動」なのです。**反動とは、全体的な大きな流れに対する抵抗です。大きな流れそのものは変わりません。**今回の新型コロナウイルスの世界的な流行で、国境の移動に制限が出たりしましたが、逆に見れば、世界がそれだけつながっていることの証（あかし）です。

世界の各地は、さまざまな仕方で、さまざまな面でつながっています。世界中からたくさんの商品がやってきます。いろいろな国から仕事をしに来ます。世界中から観光客が遊びに来ます。コロナ禍と環境への配慮から、こうした動きがそのまま続くかわかりませんが、情報や知識が国境を越えていくのは間違いない動きです。インターネットでどこの国の人ともつながることができます。情報を遮断しようとしている独裁的な政治家もいますが、それも風前の灯火（ともしび）です。世界を二つに分けるような戦争はなくなりました。小さな紛争もすぐに世界中で問題として取り上げられ、解決に向けた努力がなされます。

世界はひとつにつながっています。国内で貧富の格差がつくのは、この流れの負の側面です。同じ労働なら安い賃金の国や地域に仕事が流れてしまうからです。国境がすぐなくなるとは思いませんが、今よりもその意味と力は相対化されて、世界がひとつになる流れは止まりません。私たちは、この流れの中で生じているよい側面を推進し、悪い側面を正していかなくてはなりません。

現代社会最大の課題、環境保護

二つ目は、今触れた環境問題です。地球は、人間とあらゆる生き物が共有している唯一のかけがえのない環境です。地球温暖化、大気・土壌・海洋の汚染、廃棄物の増加、資源乱用、過剰な土地開発と森林伐採。これらの人間の活動によって、生態系は汚染され、生物種は減少しています。自然災害や自然の枯渇、環境汚染という形をとって人間にも跳ね返ってきています。自然には回復力や自己維持力がありますが、そのキャパシティを超えた人間による自然の乱用と搾取が、現代社会の最大の問題です。

とりわけ地球温暖化は、きわめて深刻な喫緊の課題でしょう。環境保護は、地球規模で、世界的に、全人類が取り組まなければならない、待ったなしの問題です。この二〇年ほどが、環境破壊を留めるギリギリの限界線のように思われます。

環境や自然が人類にとって最もケアしなければならないものとなりました。これからは、人間は自分たちを地球環境の一員として捉える「緑の思想」を「緑の政治」によって実現しなくてはなりません。自然を人間がどのように利用しても構わないと考えていた時代からは、これは大きな変化です。

人口知能にはできないことが重視される社会

三番目は、情報テクノロジーと人工知能（ＡＩ）の進歩です。インターネットの普及により、私たちの周りには大量の情報が溢（あふ）れ、だれもがそれらに簡単にアクセスできます。専門家と一般人の情報格差は縮んでいますが、他方、その情報をどれだけ的確に使えるかで、個々人の情報力に大きな差が生じています。

コロナ禍によって、ネットでのコミュニケーションや情報収集をうまくできるかどうかで、人と人との間にますます大きな格差ができてしまいました。ネット会議をうまく使いこなせる会社は、これまでよりもコストをかけずに業務ができるようになるでしょうし、自宅で仕事をしたい優秀な人たちにとっては魅力的な職場となるでしょう。ネットをうまく利用できる学校や大学は、教育の手段が豊富になる一方で、そうではない大学や学校は取り残されてしまうかもしれません。

また、近年、ＡＩやロボットの発展が目覚しく、それによって社会のあり方が変わってくると言われています。ＡＩはあまりに賢くて人間を不要にしてしまうと危惧する学者もいますが、コンピュータは生物ではないですから、生き物である人間の心と同じことができるとは思えません。

しかし道具としてのＡＩやロボットは、私たちの仕事のあり方を大きく変えるでしょう。作業ロボットの登場によって、工場での労働はずいぶん変わりました。同じように、形式的・機械的に処理できる事務仕事は、今後ＡＩにとって代わられていくでしょうし、接客業も単純なものはコンピュータが行うようになります。もうその傾向は現れています。コンビニのＡＴＭが銀行や役所の窓口の代わりになり、回転寿司の注文はタブレットでするようになりました。

しかしＡＩやロボットでは到底できそうにない仕事もあります。創造的な仕事、感性や個性が求められる仕事、複雑なコミュニケーション、そして人間の身体が必要な仕事がそうです。ＡＩ社会とは、人口知能ではできないことが重視される社会のことです。ある意味で、人間が人間らしくすることが求められる社会だと言えるでしょう。でも、それは結構、骨の折れることかもしれません。

「何者か」ではなく「何を学んだか」が問われる

四つ目は、個々人の生き方です。これまでの日本では優れた組織や集団に帰属することが、よい人生だと思われてきました。よい学校を出て、よい大企業に就職するという生き方です。こうした人生は、世間からも評価され、羨ましがられてきました。

しかし今では、個々人がどういう生き方をするかが問われるようになっています。どの組織に帰属しているかではなく、自分にとってやりがいのある仕事や活動ができているのか、仕事だけではなく、個人としての生活が充実して幸せであるか、家族や友人との間でよい関係が築けているか。見知らぬ人々にどれくらい貢献できているか、自分自身が、人生を評価する基準を作っていかねばならないでしょう。一般的で単純な物差しでその人物の優劣が評価される時代は終わりました。収入や社会的地位だけに価値を求める人はどんどん減っていき、心が充実する活動に価値が求められていくでしょう。

勉強も同様です。人気のある大学の人気のある学部に入学しただけではもはや評価されなくなるでしょう。それ以前に、自分が満足できないでしょう。せっかく医学部に入っても、医師という職業に意味を見いだせない人がよい医師になれるでしょうか。どの大学に入ったかではなく、そこで何を学ぶのか、学んだのか、が問われるようになります。

大学で教壇に立つ者としては、せっかく難関大学に入っても何をしたらよいかわからないで、大学での学びも方向性がなく、その後はあまり伸びないという人をたくさん見てきました。**今後の日本は、これまでとは別の意味での学歴が問われるようになります。**それは、何をどのような価値や方向性に基づいて学び、それを何に活かそうとしているかという意味での「学びの履歴」としての学歴です。

そして、これまでとは異なった知識と知的能力がさらに重視される社会になります。

これから重視される学歴とは、どこの有名大学を出たかではありません。あなたが何の勉強をしたか、どんな知識や能力を身につけて、それがどのように社会に結びついているのか、本当の意味での「学」びの履「歴」が問われるのです。その学んだことによって、どのような新しい知的貢献ができるのか、社会に対してどのようなよい影響が与えられるのか、こうしたことが評価されるようになるのです。

これからの社会では、産業社会の実利から一定の距離を置き、自由で根本的なことを研究することは、人間の新しい方向性を切り開く活動として、とくに貴重なことになっていくでしょう。

人との多様な関わりが求められる

五つ目は、四つ目と関わってきますが、人と人との結びつき方です。これまでの日本社会は、自分が帰属する集団の人たちと濃密に関係し、その外の人には無関心という傾向がありました。インターネットやＳＮＳが発展した世の中では、もしかするとこの傾向はかえって強まったかもしれません。一部の人たちは、自分が共感できる集団の人たちとだけつながり、さらに濃密に関係を持つようになったからです。

しかし先に述べたように、ひとつの集団だけに属する人はどうしても視野が狭くなり、異なった人たちと接することが難しくなります。しかし今後は、一生の間で、職業を変えることは多くなり、複数の職場に同時に関わることが多くなるでしょう。それに応じて、友人や家族でさえも今よりも変化しやすくなるでしょう。社会が流動的になっていく傾向は今後もさらに続くはずです。

特に大切になるのは、職業以外の場面で人々に関わる活動でしょう。たとえば、ボランティアや地域サービス、相互扶助、趣味など、個人の生活でも多様な人々と出会うようになります。こうした活動の一部は、国境を越えて広がっていくでしょう。人間関係は、一方で国際的になりますが、他方で地元密着的になるでしょう。そうした人間関係の中から新しいビジネスが生まれてくるのかもしれません。地域社会も、地方であっても都会であっても、新しくきた人々や異質な人々とどうよい関係を築くかが、その場所の発展を左右するはずです。高校生から大学生にかけて、多様な経験をした若者がこれからは強く求められるようになるでしょう。

世界はよい方向に向かっているが、努力を続ける必要がある

世界の大きな変化を恐れる必要はありません。日本人は変化に対して少々悲観的すぎるようです。スティーブン・ピンカー[1]という心理学者は、世界には悲観主義が横行しているが、実際には世界はこれまで進歩していると指摘します。統計を見れば明らかなように、世界からは戦争や暴力が減り、貧困も病気も減り、人々はより健康的で長寿となり、教育も向上しているのです。

私もこの考えに同意します。世界は全体的によい方向に向かっています。しかしこのよい方向は、今を生きている私たちがそれを引き継ぎ、さらによいものへと発展させることでしか維持できません。環境問題や地域紛争、貧富の格差、差別などは、いまだに解決からは遠い、世界規模での深刻な問題です。ひとつの国や地域の問題も世界中とつながっています。昔ながらの考え方をしている人たちを新しい考えに変えていってもらう努力も必要です。

今後は、世界の人が一丸となってこれらの問題を解決し、人類が新しい段階になるよ

うな努力を続ける必要があります。私たちは努力すべきですが、人類が学び続ける生き物である限り、その将来に楽天的であってよいと思います。

3　変わりつつある学び

では、以上に述べた五つの変化は全体としてどう捉えたらよいでしょうか。それは**ひとつの組織や社会に帰属する状態から、複数の組織や社会に足掛けて活動することへの変化**として特徴づけることができるでしょう。それは、世界がつながりあい、地域社会、国家、職場、家族、宗教などの従来の帰属集団が流動的になる一方で、これまでは無関係だった人々が、さまざまな活動によって互いに結びつくようになるということです。

これから人間同士は、土地や宗教、職業といったものへの帰属によってだけではなく、積極的に関わる活動によって結びついていくことになっていきます。

人間だれもが、かならず帰属している集団や場所があるとすれば、それは人類という

1　Pinker, S. (2019)『21世紀の啓蒙：理性、科学、ヒューマニズム、進歩』(上下)、橘明美・坂田雪子訳、草思社。

大きな集団であり、地球という大きな場所になるでしょう。そして、「人類」と「地球」という大きな帰属集団を土台として、活動によって具体的に多様な人と関わるようになるのです。

逆に言えば、どこかに単に帰属するだけでは、これからはしっかりとした人間関係を形成するには不十分になっていくのです。特定の人生の流れ——たとえば、優秀な高校を出て、よい大学の学部を卒業してすぐに大企業や官庁に就職して、そこで長く勤めあげるといった流れだけがよい人生だ、という時代はもうとっくに終わっています。もしかすると、もうそれは「エリート」とさえ呼ばれなくなっています。もっと多様な経験をして、多様な人と出会い、さまざまな活動に積極的に取り組んだ人の方が頼りになるのですから。

こうした社会の変化は、心のあり方にも違いを生んでいきます。今の自分が何者であるか、すなわち自己同一性（アイデンティティ）よりも、これから何をするか、その活動を通してこれから何になるかに重きが置かれるようになります。新しい活動を行っていくこと、そうして変わっていくこと、すなわち「自己変容」に人が関心を持つようになります。

自己変容は、従来は子どもや若者のみの特性だと考えられてきました。しかし、平均寿命が延び、たくさんの情報や他者と出会うようになった現代人は、一生変容していく機会に恵まれています。しばしば言われるように、学びも生涯にわたるものとなるのです。

これは人生のサイクルで言えば、子どもの頃に人は学んで、学び終えてから社会で働くという形ばかりがすべてではなくなることを意味します。かつて子ども時代はもっぱら学校に行くように推奨されました。それは、さらに昔に子どもが大人の労働に駆り出されて、学ぶ機会を奪われていたからです。今でも貧しい国ではそうです。それゆえ、子どもを学校のなかで庇護（ひご）して、十分に成長してから社会に出すという形がとられていました。

しかしこれからは、**学校はその外の社会との結びつきが強くなり、子どもも学校の外の社会とのつながりの中で学ぶことが増える**でしょう。

その傾向はまず大学に現れています。大学は以前よりもはるかに他の社会との結びつきが強くなりました。国内外の研究機関との連携が強まっているのはもちろんです。企業とも研究開発の次元だけでなく、インターンなどキャリア教育を通しての協力関係も強まっています。起業する研究者も多く、今や学生や院生が会社を起こすことも珍しくなくなりました。地域創生や持続可能な開発、被災地支援などの目的で、地域社会・地方公共団体・ＮＰＯのような非営利組織と連携する機会も増えています。また、留学生の数はますます多くなり、多国籍化しています。海外の教育機関と直接に交流する機会も頻繁になりました。そして高校と大学とが協同して教育を行う高大連携も増えてきました。

大学では、研究、教育、産業、地域交流、ボランティアなどが総合された形での活動が増えています。研究教育も学部や専門の壁を越えた超領域的・分野横断的なものが増えています。先に「横断的・総合的」な学習で触れたように、今や、文系・理系といった区別が意味をなさない研究テーマが増えてきたのです。人工知能や環境問題、地域創生などは典型的にそうした事例です。

一つの事柄をさまざまな視点から検討する力

「教養」の意味もかなり変わってきました。以前の大学では一、二学年に教養課程があり、それを修了して専門の勉強をすると考えられてきました。教養は、一般的な事柄について広く浅く学び、常識を身につけること、あるいは、専門に行くための基礎的な知識を身につけること、そのように考えられてきました。

しかし現代では教養の役割は大きく異なってきています。教養をつけるとは、単に広い分野の物知りになることではありません。**教養とは、現代の狭く細分化されすぎている専門性を、より広い視野に立って鳥瞰的・俯瞰的に捉えるための知的態度**のことなのです。

現代社会では、職業は専門化しています。私たちは、自分の仕事には専門性があっても、他の分野ではまったくの素人です。そのために、自分が知っている範囲以外では何が行われているかがまるでわからなくなっていますし、視野が狭くなり、どうしても自分の分野や組織のことばかりを意識的・無意識的に優先してしまいがちです。ここから問題が生じてきます。

たとえば、遺伝子組み換え食品の例を考えてみましょう。現在では、植物の遺伝子を組み換えて、害虫に強いジャガイモや病気に強いイネ、腐敗しにくいトマトなどが作られています。遺伝子操作で新しい品種の農産物を作るという場合、それを開発導入しようとする技術者や農業者の利益を推進するだけでは一方的すぎます。多くの人の不満や不安を無視しています。

健康が心配な消費者、新種が受け入れられるかを危惧する農業者、生態系への悪影響を心配する地元の人々、地域産業の発展を期待している人々など、食品をめぐる利害関係者にはさまざまな人がいます。それらの人たちの関心にも十分に配慮して、その食品の開発と導入を行わなければなりません。そのためには、遺伝子工学だけではなく、農業の仕組み、環境問題、健康や子育てなどさまざまな分野について、まずは思いが及ばなければなりません。さまざまな方面に意識が向けられなければなりません。多様な分野と地域の人々を結び合わせるつなぎ役が必要なのです。

現代社会では、専門性が進んでいるからこそ、ひとつの事柄をさまざまな視点から検討し、他の分野や一般社会と関係づけて考える力が必要とされます。それが教養と呼ばれるものです。したがって、教養とは、専門教育への単なる準備ではなく、また、ただ広い範囲の物事に浅い知識をもっていることでもありません。教養とは、専門教育を他の分野や一般社会と結びつけるためのもの、専門家を他の分野や一般社会の人々に結びつけるためのものです。

別の言い方をすれば、人々と結びつけ、互いの知識を結びつけていく人間交流の知が教養と呼ばれるようになったのです。したがって**現代の教養は、さまざまな分野の人を話し合わせる対話の術を必要とします**。私が本書で対話を重視するのもそのためです。

現代社会では、知的活動はますます多様な人と対話することによって進められていきます。以上に述べたような世界の変化に合わせて、高等学校や中学校での学びも変化していく必要があります。

4　探究する目的

現在の高校・中学校での教育に求められているのは、以上に述べた意味での教養です。それは大学で勉強するための基礎知識という意味だけではありません。最初に述べたように、これからはＡＩとインターネットが人間の情報集めと判断の基礎の大きな部分を担ってくれます。調べてわかる知識を覚えることに大きな意味は失われています。大切なのは、自分で探究する課題を見つけ、さまざまな分野の情報と知識を結びつけながら、自分の課題の解決を目指すような態度を身につけることです。探究する意欲と態度が身についているかどうか、今後の大学では入学者に求めるようになるでしょう。

私は、世界中のさまざまな研究者に会い、共同で研究をしてきました。いろいろな国籍のたくさんの若手研究者や大学院生を指導もしてきました。その経験からひとつ言えることは、**人と異なった人生経験をしてきた人こそが、面白い視点を持ちえるし、興味深い発想をする**ということです。テストでよい点を取るためだけに勉強をして、似たような考え方を持った人としか交流してこなかった人は、視野も発想の幅も狭くなり、歳を追うごとに伸び悩むことが多いのです。

人と異なった人生経験をするということは、意欲さえあれば、だれにでも可能なことです。突拍子もない大冒険をする必要はありません。身の回りの、高校生や学生として手の届く範囲のことであっても、あまり人が目を向けていないことに目を向け、自分なりに問題意識をもって何かに取り組めば、その活動が貴重な人生経験となるのです。私が先に「活動が重要」だといったのは、そういうことです。積極的に活動した経験をもった人こそが、これからの社会で望まれ、大きな活躍が期待できる人でしょう。

以上のような社会の変化に応えようとしているのが、「総合的な探究」という科目なのだと思います。探究という科目は、もう一度文部科学省の定義を引けば、「横断的・総合的な学習を行うことを通して、自己の在り方生き方を考えながら、よりよく課題を発見し解決していく」ことを目的とするものです。探究を重視する方針は、現在の教育のあり方として正しい方向性であると、私は考えています。

複雑で多面的な存在である私たち

ところで、「横断的・総合的」に「課題を発見し解決する」ことと、「自己の在り方生き方」を考えることとはどう結びついているのでしょうか。

私の解釈では、人間の生は常に全体的です。「全体的」とは、一人の人生は、職業や家庭、地域、趣味などさまざまな仕方で他人や社会と結びついた多面的で多角的な存在だということです。また、人間は知的であると同時に感情的な存在です。

また私たちは、自分で人生を切り開く自発的・自主的な存在であると同時に、自分では変えることのできない運命のようなものに翻弄される受け身の存在でもあります。こうした意味で、私たちは、常に複雑で多面的な存在です。自分の在り方生き方に関係する課題も、つねに複雑で多面的です。それゆえに、そうした自分の課題に役立つ知識も、横断的・総合的でなければならないのです。

横断的・総合的に探究するということは、複数の専門分野（高校で言えば、複数の科目）を結びつけることに他なりません。ですが、それは一つの課題を探究していくうちに、さまざまな分野のことを調べ、まとめていく必要があるとやっとわかってくるものなのです。いわば、探究という活動が軸になって初めて、そこにさまざまな分野が関係してくることが実感できるのです。

探究する態度がなければ、学校で学ぶいろいろな知識は、互いに無関係で、何の役に立つのかわからないものに見えるでしょう。探究の軸は、自分の在り方や生き方を求める中でこそ見つけられるものです。学びの課題は、自分がよく生きていこうとする人生の中で見いだされるべきです。学ぶ事柄が自分自身の人生の関心と関連していなければなりません。そうでなければ探究するためのエネルギーが湧いてきません。

ここで強調しておきたいのは、探究の授業の目的は、社会で探究的な活動をするための準備などではないということです。探究の授業の目的は、実際に探究することにあります。大学で起業活動をすることの目的は、将来、実社会で起業するための準備をすることではなく、実際に今起業することが目的であるように、探究の授業の目的は、将来、実社会で探究的な活動を行うための準備をすることではありません。

高校生であっても、そのできる活動の範囲で、実際に探究するのです。それは、現実の知的貢献を目指し、実際の問題解決を目指し、本当に社会に役に立つものを目指すものでなければならないのです。探究は真正の学びでなければならず、社会から分離された単なる「教室での出来事」であってはなりません。

5　探究の授業の特徴

探究の授業には二つの特徴が求められます。

第一に、今述べたような意味で、探究は真正の学びでなければならないことです。真正の学びとは、現実の世界で生じている課題を、学習者に関連している目的に基づいて学習することです。たとえば、「選挙制度を学ぶ」といった場合、単に地方議会では定数何名、どういう時期に選挙が行われるという知識だけを覚えても真正の学びとはまったく言えません。

実際に選挙とはどういう活動なのか、政治家の選挙公約はどうやって作られ、どう理解すればよいのか、立候補するにはどうしたらよいか、選挙対策とはどのようになされるのか、地方政治で生活はどう変わるのか、投票するときにはどんな情報を知るべきかなど、実際に自分が選挙に関わるという文脈で選挙制度を理解し、知識を活用できなければなりません。選挙制度を学ぶ目的は、政治に積極的に関わる主権者を育てることに他なりません。

これは、教室という外界と切り離された特殊な文脈において、学習者と関係しない目的で学習をすることとは正反対のものです。いわば学校での学びを、実際の社会や、実際の自然、生きた人間から切り離された、学校の中だけで閉じてしまうような活動にしないということです。

もうひとつは、探究の時間は、先に触れたように、「探究の共同体」というグループを作って行うべきことです。そこには、議論や討論、計画の共有、相互の教え合い、役割の分担、共同作業などが含まれます。私たちの社会生活はほとんどが共同作業です。個々人が競争することで、よい業績が生まれ、社会貢献につながるような仕事が一体どれくらいあるでしょうか。むしろ必要なのは、それぞれの個人をうまく協働させて、全体として優れた業績を生み出す組織を作ることです。

それぞれの人が、その組織を作り出す過程に加わり、そこで自分の役割を見つけて、人から必要とされていることを感じられる。そうした組織づくりを学校で学ばねばなりません。教科の知識は、そのような共同の活動の中に組み込まれなければ、何の役に立つのかがわからなくなるでしょう。よって、学習者にできるだけ多くのことが任されるような共同学習が必要です。

探究の時間は、アクティブ・ラーニングの一種でもあります。アクティブ・ラーニングとは、学習者が能動的に取り組む学習のことです。自分たちで課題を見つけ、だれもが積極的に関わる集団を作り、教え学び合い、課題を解決する過程の中で自分が変容していくような経験を学校で積む必要があります。

6　なぜ高校から始めたほうがいいのか

探究的な学びは、以上のように現代社会においてとても重要な活動です。ですが、なぜ、この探究の活動を高校から行う必要があるのでしょうか。いえ、探究の前の段階として、小学校中学校での「総合的な学習」の時間があります。なぜ、探究的・総合的な学びを小学校から始める必要があるのでしょうか。

これまでの学校での勉強の仕方には、ある「前提」がありました。それは、教科別に学ぶことからはじめて、そのそれぞれの分野を後で総合することで、自分の人生や社会での生活に知識や技術を活かしていくという学びの順序です。別々の教科から学んで、総合する。別々の教科を学んだ人が、あとで共同することが想定されています。しかしこの学びの順序は正しいでしょうか。

現代社会は、科学によって成り立っている社会です。科学は、「科目」、すなわち分野に分かれた知識ですから、専門化していきます。この専門化こそが科学を正確で厳密な知識にしているのですが、他方で、この傾向には大きな問題点もあります。それは、専門化が進みすぎてしまい、分野間で相互に理解できなくなることです。

これは危険な断片化です。世界の一部の断片だけをよく知っていても、全体が見失われてしまうならば、どれほどの意味があるでしょう。身体の腸の働きの一部がよくわかっても、健康とは何なのか、身体をいたわるとは何なのかを考えなければ、そこで得た知識はどれほど重要でしょうか。科学がそれぞれの分野でバラバラに進んでしまうと、専門家たちも他の分野がまったくわからなくなってしまいます。科学者も自分の専門以外は、まったくの素人です。医者は建築については何も知らず、法律家は農作物の肥料の効果についてはまったく知りません。

科学の専門化に対応するように、私たちの社会も専門性によって分けられています。分けられても誰かが全体を調整できればいいのですが、その役割はどの学問が担当するのでしょうか。いったいだれが担当するのでしょうか。

さらに、ある分野の知識をどれだけ獲得したかで、専門家と素人の序列が生じてきて、素人は専門家に従うしかなくなります。専門性が重視される社会では、専門家が優位になり、自分の分野を発展させようとします。しかし、全体が見えないままに自分たちの分野だけの発展を望めば、社会に大きなアンバランスが生まれてしまいます。場合によっては、社会の利益を犠牲にして、自分たちのグループだけの繁栄を願う分野エゴ、組織エゴに陥る場合さえあります。

全体が見失われると、社会が分断されるだけではありません。教育を受ける児童・生徒の立場に立てば、それぞれの科目が何の役に立つのか、これを学んでおくことが自分の人生とどうつながるかがわからないままに学年が進むことになります。そうすると、その科目を学ぶ意欲が失われていっても不思議ではありません。最終的には勉強する目的も、受験以外にはなくなっていくでしょう。

中学生になるとよく生徒が「これを勉強すると何のためになるのか」という疑問をしばしば持つようになりますが、それは、**知識と社会の関わりについての全体像がないままに学び続けることへの抗議**なのです。

ある高校では、医学部受験を志望する生徒に、受験に必要な科目だけではなく、倫理や社会などの時間を使って、「健康とはどういうことか」「生命とは何か」「医療は人にとってどういう意味を持つのか」といったことを考えさせ、レポートさせているといいます。これは、受験用の知識だけを学ばせるのではなく、医学とは何かを広い視野から考え直させるためのものです。

なぜ、こういう授業を設けているかというと、難関の医学部に入ったのはいいけれど、入学後に医学を学ぶ意欲がわかずに、途中で目的を見失ったり、挫折してしまったりする人がかなりの数出てしまうからです。医学部に限らず、受験を目標として学んできた人は、大学に入学してから、突然に学ぶ意欲を失いがちなのです。

学ぶことにおいて最も重要なのは、学ぶ意欲と動機をずっと持ち続けることです。学ぶことが、自分の人生に結びつき、社会のなかに位置づけられ、意味づけられることによって、はじめて人は学ぶ意欲を持てます。探究型の学習を高校ではもちろん、小中学校でも実施すべきなのは、探究では、知識の全体性が見失われることなく学ぶことができるからです。科目・教科は、バラバラに学んだ後に総合されるべきではなく、最初から全体のなかに位置づけられながら学ばれるべきなのです。

大学での学びは、専門性を追求すると同時に、その分野の知識と他の分野の知識との結びつき、そして知識と社会との結びつきがとても重視されます。大学での学びは、専門的であるとともに、横断的・総合的です。**高校までで、その学びのための準備をしておいていただきたい**のです。高校生で自分の将来像を明確にもてなくてもかまいませんし、職業について迷いがあってもいいのです。ただ、探究的な学びをすることで自分の関心や興味の方向性、好きなことと苦手なことが見えてきます。これが大切なのです。

進学せずに、高校卒業後に就職を選ぶ人も多いでしょう。そうした人は、探究の時間がなかったら、知識の全体像が描けないままに社会に出ることになります。これは非常に心配な状態です。というのは、専門的な知識がどのように自分の人生に関わってくるのか理解しないままに人生を送ることになり、それを活用することもできなくなるからです。これが探究的な学びが高校までしっかり実施されなければならない理由です。

次章からは、探究的な学びについて具体的に説明していきます。

第二章　探究的な学びとは何か

この章では、高校、及び大学の初年時に行う探究型の学習をどう進めるか、その方法について述べていきます。まず、何よりも大切なことは、何を探究するかという、探究の対象です。探究の対象さえ価値あるものならば、探究する目的も動機もすでに与えられているといってよいのですから。

1　文明と文化

人間の行う知的活動には二つの種類があるといってよいでしょう。ひとつは**苦しみを減らす活動で、これを「文明」**と呼ぶことにします。もうひとつは**喜びをもたらす活動で、これを「文化」**と呼びましょう。

医療は、ケガや病気を治療し、予防しようとするのですが、それは苦しみを減らそうとする努力です。水道事業も、渇きの苦しみや汚れた水を飲むことの危険性、遠くまで水を汲みにいかなければならない不便さをなくそうとするものです。交通ルールは、事故を防ぎ、安全でスムーズな道路の運行を作り出そうとしています。これらはなくてはならない必要なものを生み出すという意味で、文明だと言えるでしょう。

他方で、素敵な音楽を演奏する。美味しい料理を作る。楽しいお祭りやイベントを運営する。脚本を書いて、お芝居を興行する。これらは人々に喜びを与えるものですから、文化と言えるでしょう。文化は、命の維持を超えた価値を作り出し、人間らしい生活を提供してくれます。

もちろん、全てのものが二つにかっちりと分類できるわけではありません。スポーツはやって楽しいものですが、同時に健康づくりや病気の予防にもなるでしょう。家屋は、人が雨露をしのいで休息と睡眠をとる場所ですが、外見や調度が美しく、心のゆとりを与えてくれるものにもなります。これらは、文化と文明の両面を持っていると言えます。

しかし、文化は不必要な贅沢品だと言うことはできません。私が、東日本大震災が起こった三カ月後くらいに被災地にお見舞いに行ったときのことです。まだ公共施設で寝泊りしている人たちが、お子さんから高齢者の方まで、小説や勉強になる本が読みたいと訴えていました。被災した人々は、まだまだ生活が厳しい中でも、必要な情報を知りたいからというだけでなく、文化としての楽しみを得ようとして書物を探していたのです。小さな仮設図書館が開かれると、ひっきりなしにいろいろな年代の方が本を借りにきました。このときほど、人間は根源的に文化を必要としているのだと実感したことはありません。文化を求めるのは人間であることの証(あかし)です。

2　探究の動機

今、文化と文明という大きな枠組みを述べましたが、探究型の授業のテーマとなるのは、このどちらか、あるいは両方に関わっているはずです。つまり、苦しいことを減らそうとするのか、楽しいことを増やそうとするのか、あるいは、その両方を兼ねたものかです。

探究型の授業を行うのに、一番大切なのは、学ぶ側が学ぼうとする意欲を持っているかどうかです。初等中等教育で行うべき最も大切な教育は、生徒に一生学ぼうとする動機づけを与えることです。これが蔑(ないがし)ろにされては学習が成り立たず、学習のないところには教育は存立しえません。

では、人はどういうことに学ぼうとする意欲を持つでしょうか。「知りたい」という気持ちには、大きく言って二種類の動機があると思います。ひとつは、**世界がどうなっているかが分かるような、一種の見取り図のようなもの、あるいは地図のようなものがほしいという願望**です。これは子どもの頃からの好奇心に近いものです。

もうひとつは、**何かができるようになりたいという気持ち**です。これは、「ケーキの作り方が知りたい」「自動車の運転ができるようになりたい」「うまくダンスが踊れるようになりたい」といったように、「ある行為ができるようになりたい」という気持ちのことです。

そしてこの何かができるようになりたいという気持ちは、「何かを達成して、自分が世界のなかで効力を持てる存在になりたいという気持ち」でもあります。自分を含めただれかの苦しみを取り除きたいとか、だれかに楽しさを与えたいといった目的を持ち、そのために何かができるようになりたいというのが人間の学びへの動機になります。ごく単純に言えば、楽しいこと、面白いことをやりたい、そして嫌なことを避けたいという気持ちに素直になり、そのために何かがやりたいと思うことが動機づけとなるのです。

何かをうまく達成するためには、先人たちの残してくれた知識が役に立ちます。ひとつ目の「見取り図や地図のようなもの」がそれにあたります。逆に言えば、何かをできるようになりたい。それで苦しみを取り除いたり、楽しみを増やしたりしたい、そういう気持ちがなければ、知識を求める意欲が湧かないのです。いくら先人の築いた知識があっても、自分の行動の役に立ってくれなければ意味がありません。

では、どうすれば、何かができるようになりたいと思うでしょうか。それは、まさに何かをやってみたり、あるいは、だれかが何かをやっているのを見たりして、それが苦しみを取り除き、楽しみを与えてくれているのを知る経験から生まれます。

たとえば、近所のレストランがとても素敵な料理を出してくれます。家族や友人と楽しく食事をすると、みんな仲がよくなります。そうなれば、こんな店をやってみたいと思うことでしょう。自分なりにやってみたい。ここをこうしたい。もっとうまくやってみたい。こういう気持ちが、私たちの中に生じてくるのは不思議ではありません。

自分の好きな料理を出そうとして、レストランを経営するには、どのような技術と知識が必要でしょうか。調理の技術だけで済むわけがありません。栄養学、公衆衛生、関連する法規、食品と流通の知識。これだけでもまだ全然足りません。オリジナルな商品がないと他店との競争に負けそうです。店の外見も内装も、清潔で、オシャレにしないといけません。そして、店舗を経営するには、経営学の知識が必要です。化学から美術、保険から人間関係の心理学まで、何でも関係してきます。一見すると、自分と縁遠いと思った知識も、お店を経営しようとすると全部関係してくることがわかります。とてもよいレストランを作ろうと思ったら、たくさん学ぶべきことがあることに気づくでしょう。

このように具体的に何かができるようになりたいという意欲が、知識とスキルの必要性を理解させ、さらにそれを改良しようとする気持ちにつながります。探究の時間の根底を支えているのは、何かをしようとする意欲であり、動機です。これが、行為に関係する知識を得ようとする探究につながります。

教える側は、学ぶ側が意欲を持てるような経験をさせてあげなければなりません。現代の教育格差とは、子どもが家庭で与えられる経験の格差も大きく反映していると考えられます。学校はそれを補う必要があると思います。

3　日常の関心を一歩前へ進める

さて、今取り上げたレストランの話は職業に直結してきますね。ある職業に関心を持って、それにつこうと努力するのは大切です。でも、学校で学ぶべきは、職業のために必要な技術や知識、その準備となる常識だけではありません。

たとえば、学校のクラスでは、将来につきたい職業は人さまざまでしょう。では、方向性の違う人が集まっても話し合える共通のテーマは何でしょうか。

たとえば、みんなの住んでいる町の人口が減っているとしましょう。人口は、その町でどのような職についたとしても共通の問題です。あるいは、川の周りに堤防を作ることになったけれど、魚が減ってしまうのではないかなど、自然環境に関する問題もみんなに共通しています。これらは、住んでいる人みんなの利害に関わるので、政治的な問題ということができるでしょう。政治とは、異なった利益を調整して、集団の秩序を作り出していく活動のことです。民主主義社会では、政治は言論の活動によって行われます。

先ほど、「苦しみを取り除き、楽しみを増やすことは、探究する動機になる」と書きました。しかし、ある人の苦しみを減らしたり楽しみを増やすことは、ときには、その逆の効果を他の人に与えたりします。川で魚を釣ることを楽しみにしている人がいる一方で、あまりに多くの釣り人が来て、その地域の魚が減ってしまうと地域住民には不利益です。利害の対立をうまく解消することは政治の役割です。きちんとデータを出して、理由のしっかりした話し合いをして、双方が納得できる結論を導き出すのです。

あるいは、同じ職業を目指すのでも、ただ就職するためのスキルや知識に関心を持つことから、一歩前に進んだ考えに立って、探究してみましょう。

たとえば、レストランについて考えてみましょう。そもそもレストランとは何でしょうか。自宅で食べるのではなく、外食する理由は何でしょうか。レストランで食べたい料理とは何でしょう。レストランに人は何を求めているでしょうか。そして、美味しい料理とは何でしょうか。もっと根本的に、「食」とは人間にとって何なのでしょうか。

こういうテーマなら、料理人になりたい、レストランを経営したいと思っているだけのテーマではありません。これらのテーマは、外食産業全体のテーマであり、だれでもが外食をしますので、だれにとってもテーマになります。

それらは、ただ今ある仕事先で自分が働くというよりは、新しい産業や新しい文化を生み出す大きな発想のもとになるようなテーマだと言えるでしょう。探究の動機とそこから生まれてくるテーマは、日常生活を送るなかでの素朴な疑問から生まれてくるものです。

だれのため、何のための探究なのか

あなたが高校生でも、大学生でも、日常生活でちょっと不便に思っていたり、「こうなればいいのに」と思っていたり、社会の制度や法律やしきたりに対して腑(ふ)に落ちなかったり、理不尽だと感じていたりすることはないでしょうか。

自分自身でなくとも、家族や友人やご近所の人がなにげなく話していることで「何でこうなっているのかな」とか、「もっとこういうものがあればいいのに」とか、「こうなってほしい」といったような疑問や要望はないでしょうか。それを元にして、探究をは

じめればいいのです。

たとえば、あなたの兄夫婦が子どもを託児所にあずけたいと思っているけれども、なかなかいい託児所が近所に見つからない。どうしてだろう。あなたの高校ではクラブに入ることが勧められているけれども、スポーツ系でも文化系でも、やりたいものが見つからない。どうすればいいだろう。こうしたごく身近な疑問からはじめて、その疑問を探究するに値するものへと深めていき、広げていきましょう。疑問をきちんとした探究の問いにしていくことが、最も大切なことです。

たとえば、先の疑問でいえば、人口の少ない地方で、子どもをあずける場所をどうやって作ればいいのかという問いに発展していきます。人口と託児所の関係、託児所の運営のされ方、職場と託児所との関係、地域の人間関係などいろいろ調べることが増えてきます。クラブの問題であれば、学校におけるクラブの位置づけについて、教師が担当できるクラブ活動について、クラブの種類を増やす方法、学校外での活動、地域社会が高校生に提供できるものなど、さまざまに調べる必要のあることが出てきます。そして、その問題を解決するために探究するのです。

こうして、自分の探究が、**最終的にだれのためのものか、何のためのものなのか**をはっきりと意識して探究を開始します。たとえば、自分たちの探究の報告は、地方公務員や地方政治家に読んでほしい。学校の生徒、先生、学校長や教育委員会の人に読んでほしい。託児所を運営している人、それに関連する産業や行政に従事している人に読んでほしい、といったようにです。

自分自身の身の回りの関心を一歩進めて、一歩広めて、多くの人にとって関心のある問題へと展開するには、後に述べる「哲学対話」という手法が有効です。というのは、哲学対話で自由に考え話し合うことで、自分の考えについて他の人がどう考えるのか、さまざまな角度と立場から率直な意見がもらえるからです。他人の意見をもらうことで、自分の疑問や問いがはっきりとしてきて、自分の意見が他人にとってどういう意味を持つのかが見えてきます。

探究の時間では、ただ自分の将来に関わることだけではなく、多くの人に関わる広いテーマを追求することができます。もちろん、多ければ多いほどいいというものではありません。少ない人数の人にしか関わらなくても、それが重要なテーマであるならば、探究する価値は十二分にあります。

立場や職業にとらわれないで、自由に考え調べることができるのが学校の授業の特権です。みなさんの周りには、探究すべき課題がそここに存在しています。大人が取り組むべきなのに、手付かずで放置されている問題もたくさんあります。大人にとっては、これまでの利害関係や社会での役割から取り組むのに躊躇(ちゅうちょ)してしまう問題も少なくありません。ですが、人間関係のしがらみから自由な若い人たちは、大人よりもより積極的に課題や問題に取り組むことができます。教育機関では、実社会での活動よりも、もっと実験的で挑戦的な知的活動が可能なのです。

4　探究型の学習をどう進めるか――方針と流れ

「探究型」と私が呼ぶ授業は、これまで述べてきたように、高校での総合的な探究の時間、あるいは、小中学校での総合的な学習の時間はもちろん、大学での授業も含まれます。大学での少人数で行う授業やゼミナールは、その多くが探究型です。研究活動はまさしく探究という形で行われるのです。

では、探究型の学習はどのように進めればよいでしょうか。まず、大きな枠組みを言えば、次のような方針で授業を進めるとよいと思われます。

・自分の関心と興味を一貫して追求する。途中でテーマが変更することも許容する。むしろテーマを変化させながら、深めることを推奨する。
・最終的にこの探究の成果が、だれのために、何のためにあるのかを考える。
・数名のグループを作り、共同作業によって知識と情報を共有させ、視野を広げる。
・グループやクラスで、発想から最終成果の提出までの間に、何度も発表やディスカッションする機会を作る。自己表現すると同時に、それを他人の目から評価してもらう経験をする。
・発表やレポートを生徒同士で相互評価し、生徒自身が評価基準を身につける。
・教師は、生徒と一緒に未知のことを探究する。偶発的・創発的に生じる創造性や独創性にも目を配り、生徒と一緒に学ぶ。
・教師は、先導するよりも、生徒に選択肢を与える。教えることよりも、フィードバックすることに重きを置く。

次章以降では、高校から大学の初年度を想定して、探究型の学習をどう進めるのかについて提案します。

探究型の学習は、大まかにいうと以下のような過程で進みます。

（1）テーマの発見と問い（リサーチクエスチョン）の設定
（2）仮説の定立
（3）仮説の実証：実験観察、社会調査、文献調査
（4）仮説の検討：実証の検証、仮説の修正、反論や代替案の検討
《（2）〜（4）の過程を繰り返す。中間発表を入れる》
（5）成果の発表：レポートとプレゼンテーション

（1）の「テーマ」とは、探究する課題であり、また範囲を指しています。テーマは、

たとえば、「町おこし」「就職活動」といったように、ある課題の領域のことです。探究するためには、このテーマについてより具体的な問いを立てます。たとえば、「A商店街に顧客を呼び戻すにはどうすればよいか」とか、「この地域の高校生は、今後どのような就業先が確保できるか」といった問いです。

もちろん、これらはまず漠然としていますが、これらの問いは、研究のための問いなので、「リサーチクエスチョン」とも呼ばれます。結論がきちんとしたものになるかどうかは、問いをしっかり立てたかどうかできまります。漠然として曖昧な問いを立てておいて、優れた結論を得ることなどできません。

（3）の実証とは、信頼できる科学的なデータ（証拠）に基づいて、ある仮説の正しさを示すことです。そのためには、後に述べる「調査」が必要です。（3）の実証が最初からうまく行けばよいのですが、大概はそうではありません。（1）や（2）で立てた問いや仮説が曖昧であったり、大まかすぎたりして、最初は実証がうまく行かないのが普通です。そこで、まずは試行として行った実証の結果を検証して、うまく行かなかったならば、その理由や原因を分析し、仮説を修正したり、場合によっては全面的に作り直したり、場合によっては、問いから考え直したりする必要が出てきます。そうしてまた（2）～（4）の過程を繰り返すのです。

仮説を立てることの重要性

この過程をすこし具体的に説明してみましょう。たとえば、テーマを「私たちの町の持続可能性」にしたとしましょう。これから、さらにテーマを絞って、解答を与えられる「問い」にしていかなければなりません。そこで最初に、（1）と（2）において、「私たちの町の持続可能性」というテーマを深く多角的に理解し、そこから問いと仮説を立てます。そのために、「哲学対話」という方法をご紹介します。これは次の第三章で詳しく説明します。

哲学対話を通して、まず「持続可能性」とは何かをじっくりと考えて、自分たちの町にとって持続可能とは何を意味するのか、さらに、町が持続可能であるには、どこに問題や課題があるのかをみんなで議論します。そこから、共通の、あるいはグループごとの問いを立てていきます。「近年、海産物の魚が以前ほど捕れなくなっているが、どうすればよいのか」「子どもの数が減り、どんどん学校が少なくなっていくが、これ以上学校を減らしてよいか」「あまりに観光客が多すぎて、かえって景観や環境が悪くなっている。どうすれば、美しい町を維持できるか」などのいろいろな「問い」、すなわち「リサーチクエスチョン」が浮かび上がってくるはずです。

しかし、この段階での問いはしばしば、まだ大きすぎて漠然としています。問いを解答可能なものへと絞り込んでいく必要があります。探究で最も重要な過程は、この「テーマを問いにして、仮説を立てる」過程です。きちんとした問いと仮説が立てられれば、自ずとしっかりとした解答が得られます。逆に言えば、解答や結論が漠然としていたり、一般的すぎたりする探究は、問いと仮説の立て方が悪いのです。そのために一旦、必要な知識や情報を仕入れて、さらに問いを具体化して、それに解答を与えられそうな仮説を立てていきます。

具体的な問いや仮説を立てる前に、下調べをする必要があります。たとえば、「過剰な観光客の問題」であれば、「オーバーツーリズム」の書籍や論文を調べると、同じ問題を抱えている自治体や地域の事例とともに問題を解決した例などが調べられるでしょう。調べていくうちに、まだわかっていないこと、もっと調べる必要があることがわかってきます。グループでの共同探究であれば、手分けして調べましょう。

その中で、自分たちの町の問題に一番参考になる例を見つけていきます。さらに、ここでテーマを絞り込み、「国道X号線の観光客自家用車の問題」というテーマにしたとします。

その地域住民へのインタビューや調査を行い、とくに何が問題であるのか、地域住民は何を望んでいるのかを調べていきます。ここで、地域住民が、「夏場に観光客が増えるのはありがたいが、不法駐車や交通渋滞、交通事故などの問題が増えて、地域住民や観光客に悪影響が出ているし、排気ガスなどで環境も悪化している」ということがわかったとしましょう。

ここで問いは、「どうすれば、国道X号線の交通渋滞を緩和できるか」という問いになります。これについてディスカッションを通して、こうすれば解決するという仮説をいろいろ出して、検討してうまくいきそうな案に絞り込んでいきます。最初は思いつきやただの予想で構いません。

そうして、たとえば、「町の周辺に駐車場を作り、観光客は市営の電気自動車で移動してもらえば、交通渋滞は緩和する」という仮説を立てて、そのとおりになるかを調べていきます。同じようなことを実施した例を参考にして、場所、費用、実効性などを手探りで調べていきます。これが（3）の「仮説の実証」となります。

そして、この実証の調査をもとにして、仮説を修正したり、補助的な制限を設けたり、または大きく変更を加えるなど、仮説を検討します。これが（4）の「仮説の検討」段階です。また再び（2）からを繰り返すことになります。先に述べたように、仮説を立て、一度でうまく実証できる場合もあるでしょうが、多くの場合にはそううまく行かず、何度か仮説を組み立て直したり、場合によっては問いから作り直したりする必要が出てくることもあります。

実証を繰り返す

しかしこの循環する過程は学びとして無駄ではありません。まさしくこの問いや仮説を立て直し、実証を繰り返すことに探究型の学習のメリットがあります。探究型の学習は、リアルな学習です。簡単に結果が出るようなマニュアルや、ただ当てはめるだけでよい「方程式」のようなものは、リアルな世界ではまず存在しません。新しく、既存の解決方法がないような状況こそが実際の世界の状況です。

そうした道なき荒野で取り組むべきテーマと問いを見つけ、その課題を解決していくことが、現実の人間の活動なのです。実際の世界では、よい問いも簡単に見つかりません。適切な仮説も何度も挑戦して、ようやく徐々に見えてくるものです。

探究的な学習を進めるうえで、学ぶ側にとって最も難しいことは、問いとそれに対応した仮説を立てることです。しかし、難しいということは、まさに、そこにこそ学びの核心があるということでもあります。したがって、問いから仮説を立て、それを実証する（2）～（4）の過程には以上のような循環が何回かあると考えてください。最初から、一足飛びに、次のページの⑤のような確定的な問いや仮説を立てることなど不可能です。問いも仮説も何度も手直しして、最後に結論が見えたときに、はじめて明確になるものなのです。

そのために、後にプレゼンテーションについて説明する章で述べますが、（2）～

（4）の途中で、中間発表を入れることが効果的です。自分（たち）の探究の進展を報告すると同時に、問いを深めて、適切な仮説を立てるために、教師やクラスメートから質疑を受けるのです。自分（たち）の探究でまだ不十分なところがわかるでしょうし、外の目から客観的に探究の長所や短所を判断してもらうのです。中間発表をクラスや学年で行い、互いに質疑応答し、評価し合うとよいでしょう。

つまり、（2）〜（4）の流れは、さらに細かく分けると以下のようになります。

① 計画段階での漠然とした問いと思いつきの仮説0
② 仮説0に関する文献調査と現地調査
③ 中間段階でのある程度絞り込まれた問いと②に基づいた仮説1
④ ③を実証するための調査
⑤ 中間発表：プレゼンテーション、ポスター発表
⑥ 最終段階でのきちんと絞り込まれた問いと④に基づいた仮説2
⑦ 最終的な実証的調査

そして、最終的に探究の成果をレポートとしてまとめ、それを最終プレゼンテーションで報告します。この最終プレゼンテーションでは、クラス以外の教師や生徒、できれば保護者や地域の人々に聞いてもらい、質疑応答の時間を設けて、評価してもらうとよいでしょう。

5 ポートフォリオ――学習過程の記録

これらの探究の過程は、「ポートフォリオ」として保存しておくのがよいでしょう。ポートフォリオとは、もともと、書類入れやファイル、書類カバンを意味する言葉です。そこから転じて、生徒が、授業全体を通して行った試み、達成したこと、そこに到達するまでの成長過程を表した記録の集積を指します。

探究において学習の成果として残すべきは、最終的なレポートだけではありません。その途中において中間的な成果物がたくさん生まれます。たとえば、対話の記録、文献資料調査のリストや資料の要約、問いや仮設を立てて、それを深めていった対話や思考の記録、実証のための調査や実験観察の記録、中間発表でのプレゼンテーションのための資料やデジタルファイル、ポスター発表用のポスター、そして最終的なレポートやプレゼンテーションの資料とファイル、さらに活動の様子を記録した映像記録や音声記録、写真やビデオ、録音などが挙げられます。

これらのあらゆる記録のなかで、本人やグループがこの学習の記録として残しておきたいものを選び、ファイリングして、紙媒体であれ、デジタル媒体であれ、現物であれ、学習の成果として保存しておきましょう。探究型の学習の本質は、最終結果よりも、その過程にあります。ポートフォリオで、その過程を記録しておきましょう。

*

以下の章では、これまで述べた探究型の学習の過程のそれぞれの段階を詳しく説明します。（1）から（4）の順番に沿って解説していきますが、本書で詳しく説明したいのは、（1）から（2）の過程における対話の導入と、（4）の仮説の検討と（5）のプレゼンテーションの仕方とレポートの作成です。（4）は、（5）のプレゼンテーションの仕方とレポートの作成の中で説明します。

この先も、何度も、問いと仮説の立て方、その実証の仕方について述べることにします。実証は、探究型の学習では非常に大切です。社会調査や実験観察は、テーマによっては実証には欠かせない過程です。高校生のうちから、これに親しんでおくことができれば、大学での学びはより充実したものとなるでしょう。ただし後に述べるように、分野や専門によって実証の方法は、著しく異なり、その全てを説明することは本書では不可能です。そこで、調査の基礎となる文献と資料の調査のみについて、第四章で説明することにします。

次の第三章では、(1)と(2)を「哲学対話」という手法を取り入れながら進めるやり方を説明します。

第三章　探究型の授業と哲学対話

この章では、探究型の学習のプロセスの中で、「テーマの発見と問いの設定」「仮説の定立」をどのようにするかについて説明します。ここで求められているのは、発想することや、アイデアを生み出して揉むことですが、そのために生徒同士の対話を重視します。

1　哲学対話によるテーマと問いの発見

さて、探究の時間は、グループを作って行う方がよいでしょう。なぜなら、実際の社会における知的活動は、ほぼ常に集団で行われるからです。集団的な知的活動には、グループでのディスカッションが欠かせません。

たしかに、素晴らしい発想が個人から生まれることはしばしばあります。ですが、それを膨らませて全体の計画にしたり、どのように実現するかを検討したり、具体的なそれぞれの部署や作業に落とし込んだりするには、グループでの共同作業が欠かせません。発想そのものも、個人では思いつかなかったことが集団の議論や討論の中から、突然に、ときには偶然に生まれてくることがあります。グループでの話し合いは、一人で考えたり書いたりしたのでは、見逃してしまう自分の考え方や見方の誤りや偏りをただしてくれます。

また、集団の共同作業の中で、自分の得意、不得意や個性を自覚することができます。リーダーシップやフォロワーシップ、個人に任せる部分と集団で行う部分など、集団の運営の仕方を学ぶことができます。

探究の時間で、一番大切なことは、探究するテーマと問いを自分たちで設定することです。テーマについては、まったく個々人やグループで自由に立ててよい場合もあるでしょうし、クラスや学年で共通テーマを決めている場合もあるでしょう。たとえば、「環境問題」とか、「町おこし」、「SNS」、「グローバル化」といったように、です。

いずれの場合でも、テーマだけでは探究を行うことはできません。テーマは、探究の大きな枠組みや大まかな方向性だけを指しています。優れた探究を行うには、それを絞り込み、より具体的な問いにしていく必要があります。たとえば、「グローバル化」というテーマであれば、「この町がグローバル化するとすれば、どのような変化が起きるのか」「この町の観光は、どのようにすれば他の国の人にとってより魅力的になるか」「小学校に他の国からの子どもが来た場合には、どのような配慮をすべきか」などの問いに具体化していく必要があります。

ですがその前に、そのテーマが本当に、自分たちが関心の持てるテーマであるかどうかについて、クラスやグループでしっかり議論するべきです（議論とは、あることが真か偽か、正しいか否かを明らかにする主張、ないしそのための話し合いのことです）。あまり自分が関心のないテーマで探究しようとしたり、探究する深みのない問いを立てたりしても、やる気が持続しません。何が探究する意味と価値のあるテーマなのかを、みんなで議論するのです。

そのために、私が推奨するのは「哲学対話」という方法を用いることです。実際に、私はこれまでいくつもの中学や高校で、総合的な探究（学習）の時間のテーマや問いを、哲学対話という方法で行うのをお手伝いしてきました。たとえば、「地域創生」を総合の時間の共通のテーマとする高校で、哲学対話でテーマと問いを掘り下げる授業を行いました。

では哲学対話とは、どのような対話なのでしょうか。

「哲学」という名前がついているからといって、倫理の教科書に載っているような昔の思想家や哲学者の考えを知識として知っている必要はありません（もちろん、知っているなら、それはそれで有益ですが）。**哲学対話とは、ひとつのテーマや問いについて、対話しながら深く考え、深く考えながら対話する活動**です。ここでの「哲学」という言葉は、「根本的に、深く考える」という意味に置き換えられるものです。

「当たり前」を検討しなおしてみる

「深く考える」とは、どういうことでしょうか。それは、自分が普段から、知らず知らずのうちに身につけてしまっている考え方や、「当たり前」と一方的に思い込んでいる自分の常識を、あらためて検討してみるということです。

たとえば、先ほどの「地方創生」というテーマでいえば、「町おこしと言うときに、何を〝おこす〟のか」という問いが出てきました。町おこしというと、町が賑やかにな り、お店にはたくさん人が来て、経済的に潤う光景を頭に浮かべないでしょうか。それが町おこしの目的だと頭から信じて、勝手に思い込んでいたのです。

しかしそもそも、私たちは自分の町をどうしたいのでしょうか。私たちにとって「住みやすい町」とはどういう町でしょうか。その町で、私たちは、どのような生活や人生を送ろうとしているのでしょうか。自分たちの思い込みを排除して、はじめから考え直そうとしているときに、テーマを深く考えられるようになっているのです。

当然視されていること、常識と思われていること、昔から信じ込まれていること、これらをもう一度掘り起こして、考え直してみることが「深く考える」ことの意味です。それは自分が立っている足元を見直してみる態度だといえるでしょう。そうして考え直してみた結果、「もとのままでもよい」という結論が出るときもありますし、「部分的に改善していくほうがよい」という結論が出るときもありますし、「大きく変えたほうがよい」「全面的に新しいものにしたほうがよい」という結論が出るときもあるでしょう。

科学の発見も、芸術の新しい表現も、斬新なイベントも、創造的なことはすべて、当然とされていることを一旦疑ってみる態度から生まれてくるのです。そしてこうした態度は、科学や芸術の分野だけではなく、日常生活にも当てはめてみるべきなのです。

しかしながら、自分の思い込みや古い常識に、自分だけで気がつくことはなかなか難しいものです。自分の周りの人たちも一緒に信じてしまっている思い込みならなおさらです。

それに気がつかせてくれるのが、**自分とは異なる他者との対話**です。その他者は、できれば自分と違えば違うほどいいでしょう。ジェンダーにせよ、性格にせよ、家庭や生い立ちにせよ、考え方にせよ、これまでの経歴にせよ、社会の中での立場にせよ、です。

生徒同士で対話する場合では、年齢はほとんど同じで、社会的立場はまさしく学校の生徒です。その意味で、かなり似た部分の多い他者なのですが、それでもあなたの友人は、あなたには話していない意外なことを考え、普段は見せない意外な側面を持っているものです。

また、自分がこれまでに出会った人のこと、あるいは、ニュース番組や書籍を通じて知った人たちのことを思い出してみましょう。多様な人がいるはずです。異なった人生を歩んでいればいるほど、異なった考え方をするでしょう。異なった考えの人と対話することが、深く考えるきっかけになります。異なった人の意見が貴重であることに気がつけば、異なった人に興味や関心をもてるようになります。哲学対話の特徴は、前提を問い直し、立場や役割を掘り崩していくことにあります。

哲学はいくつもの教科や分野にかかわる問い

ですが、なぜ哲学対話を探究の最初に実施することを勧めるのでしょうか。それは、哲学が「全体性を回復するための知」だからです。少し難しい部分もあるかもしれませんが、お付き合いください。

哲学は、科学とは異なる知のあり方をしています。哲学は一般の人が、一般的な問題について考えるための学問です。「人生の意味とは何か」「人類に共通の利益はあるのか」「時間とは何か」「愛とは何か」「正義はどのように定まるのか」「国家はどのようにあるべきか」「法の役割とは何か」「正しい認識にはどうやって到達するのか」「宗教は必要か」などが哲学の典型的な問いです。

これらの問いは、複数の教科や学問分野の根底に関わるような問題であることはおわかりでしょう。「愛とは何か」を考えることは、個人的な愛についての考えを尋ねているだけではなく、隣人愛は、社会のなかで人々のつながりはどうあるべきか、家族愛は、家族とはどうあるべきかといった、社会におけるみんなの問題となってくるはずです。社会観や家族観は、政策や法律の設定とも関係してくるでしょう。こうして、愛についての考えは、複数の学問分野、複数の社会の領域に関わってきます。横断的・総合的であるのは、哲学的思考の特徴です。ですから、哲学対話はあらゆる学の基礎となると言ってもいいのです。

しかし哲学のもうひとつの重要な仕事は、**それぞれの専門的な知識を、より一般的で全体的な観点から問い直す**ことです。たとえば、遺伝子治療は非常に専門性が高い分野です。しかし遺伝子治療の範囲をどこまで認めていいのか。遺伝子を組み替えて難病にかかりにくくした子どもを作っていいのか。人間の遺伝子に対して、人間はどこまで改変してよいものなのでしょうか。

こうしたことは、社会のだれにでも関わってくるので、医学の専門家だけに判断を任せてよい問題ではありません。社会に存在している常識や知識や技術を、人間の根本的な価値に照らし合わせてあらためて検討することは重要な哲学の役割です。その意味で、哲学は最も素朴な視点からの学問であると同時に、最も高次の視点から常識や知識を批判的に検討する学問です。

その際に哲学がとるべき視点は、いかなる専門家からでもない、いかなる職業や役割からでもない、ひとりの人間ないし市民からの視点です。哲学という学問が最も一般的であり、特定の分野に拘束されないという特徴はここから来ています。

現代社会は、専門性が進み、社会がそれによって分断されていると先ほど述べましたが、哲学は、さまざまな人が集う対話によって、専門化による分断を縫い合わせようとする試みなのです。あらゆる現代の知の中に対話を組み込み、社会の分断を克服しなければなりません。

自分の人生や生き方と、教育機関で教えるような知識やスキルを結びあわせること、生活と知識を結びつけることは、哲学の役割です。そして、自分がどう生きるのかと問うのが哲学であるとすれば、その問いに答える手段を与えてくれるのが、学校で学べるさまざまな知識です。哲学の問いがなければ、さまざまな知識は扇の要を失ってしまうでしょう。

その自分の哲学を、対話によって深めていこうとするのが哲学対話なのです。

2　哲学対話のやり方

では、実際にはどのように対話を行えばよいのでしょうか。

哲学対話は、特定の目標を掲げずに、自由に議論して、テーマや問いについて考えが深められ、かりにみんながひとつの結論に到達できなくても、多面的な物の見方ができるようになればよいとされます。そもそも哲学の問いは、高々、数時間話し合っただけで答えが出るようなものではありません。「人間にとってよい環境とは何か」とか「人生において仕事はどういう意味をもつのか」とか、「優れた教育とは何か」などといった問題に、そう簡単に結論が出るはずがないことはおわかりでしょう。

しかしここでは、哲学対話を、最後に明確に答えを出そうとする問題解決型の探究の一環として組み込むようにしてみましょう。つまり、テーマを哲学対話によって一旦深

く掘り下げて考え、そこに重要な問いを見つけ、それから、その問いに解答を与えるような探究の授業にするのです。

（1）準備と参加者

まず哲学対話をするときに、どのような準備が必要かについて述べます。

・人数　対話する人数ですが、少ない方が話しやすくなりますが、意見の多様性がなくなり、話が行き詰まりやすくなります。逆に、多すぎると発言することに気後れしてしまって、ただ聞くだけで発言しない人が出てきてしまいます。すると一部の人だけが発言して、考えが偏りがちになりますし、参加意識が低くなる人が増えてきます。四〜五名から一二〜一三名までが適切でしょう。クラスの規模が大きいときには、グループに分けた方がいいでしょう。また、対話に割くことのできる時間が短ければ、グループは小さい方が望ましいです。

・**座り方**　互いに全員の顔が見えることが大切です。人が話すときには、言葉だけではなく、表情や細かな手振り身振りなど、全身で表現をしているものです。聞いている方も、いろいろな表情や所作、態度で反応しています。それが互いに見えるようにしましょう。椅子だけで丸くなって座ったり、カーペットの上に直接丸くなって座ったりするのもよいでしょう。ただし、みんなが参加していることが見えればよいので、あまり厳密に形にこだわる必要はないでしょう。

・**板書**　話した内容をホワイトボードや黒板、模造紙に書きとめておくと議論の流れを振り返りやすくなります。ただし書記役が必要になってきますし、書きとめることで安心して、しっかり相手の話を聞く集中力が少し落ちてしまうことがあります。

・**コミュニティボール**[2]　これは、毛糸で作った玉で、ぬいぐるみなど柔らかく、つか

2　コミュニティボールの作り方については、以下の P4C Japan のウェブサイトを見てください。
http://p4c-japan.com/about_tool_ball/

みやすいもので代用しても構いません。コミュニティボールを用いた対話では、ボールを持っている人だけが発言ができます。その人の発言が終わるまで、他の人は聞き役に回ります。話したいと思った人は手をあげます。ボールを持った人は、ボールを渡すことで発言権を他の人に渡します。ボールを持っている人が、話してもらいたいと思う人にボールを渡すことができます。ただし、どうしても話したくないときにはパスできます。

コミュニティボール

コミュニティボールには大きく二つの効果があります。発言を均等にして、だれもが話しやすくなること。もう一つは、一斉にみんなが雑談ふうに話してしまわず、ひとつひとつの発言をきちんと聞いて、検討できることです。みんなで談笑しながら、ワイワイと話して、打ち合わせる。これは、まったく考えの深まらない、非生産的なおしゃべりになりがちです。

（2）対話の心構え

対話は、ただの会話とは異なり、ディベート（討論）とも異なります。対話は、考えることと話し合うことが一体化した活動です。そこには、真理を追求する、何かの主張を検討するといった合理性が要求されています。

「対話（ダイアローグ、dialogue）」とは、一定の結論に到達することよりも、話し合いの過程に重きをおいた話し合いです。対話は、ディベートのように、どちらかの主張の優劣を決定するものではありません。対話では、あるテーマやトピックについて、相互に慎重に検討を重ねながら話し合い、それぞれの認識や考え方、物の見方が変容し、深まっていくことを重んじます。対話は、より創造的でより優れた考え方を提出するための話し合いです。

しかし対話をするのは人間です。人間同士が、意欲的に自由に話して、聴き、考えなければ、創造的な対話にはなりません。よい対話をするには、まず何より、参加者のだれもが安心して、自由に発言できる場を作り出すことです。つまらない意見だと馬鹿にされるのではないか、批判されて軽視されるのではないか、単純すぎる考えではないか、流れに水を差してしまうのではないか、自分の意見を嫌がる人もいるのではないか。私たちは話し合いのときに、躊躇（ちゅうちょ）や遠慮を感じがちです。そうした気兼ねなど一切なく、思ったアイデアそのままにみんなに聞いてもらい、それをみんなで検討してもらうことができるような場を作ることが、よい話し合いができるための、第一の、そして最重要の条件です。

自由な話し合いの場を作るための心構えや一種のルールといったものを挙げておきます。

- **傾聴**　互いに相手の話を傾聴できたか。理解しようと努めたか。
- **相互性**　多くの人が話したか。他の人に話すことを薦めたか。自分の意見を短くして、他の人が発言しやすくしたか。
- **寛容**　違った意見や対立する意見も尊重したか。
- **公平**　他の人の考えを公平に評価できたか。
- **応答性**　他の人からの質問や反論を受け入れ、誠実に応答できたか。他の発言者の考えを、名前をあげて言及したか。

・**建設性** 他の人の考えを踏まえて話しを進めたか。

・**開放性** 自分の考えを見直し、自分の誤りを進んで認めたか。

対話では、じっくりと相手の意見を聞いて、それをしっかりひとつひとつ検討する態度が求められます。性急に結論を出したり、異なった意見を無理やりに調整しようとしたりしないことです。急いで無理やりまとめようとすると、重要な主張が抜け落ちてしまったり、検討不足のままの結論となったりして、みんなで作り上げたという感じがしなくなります。

(3) 共に考えること

以上に述べたのは、対話をするときの対話者同士の態度のあり方です。対話のための道徳やマナーのようなものだと言えるでしょう。しかし、安心して自由に発言できる場ができても、それだけで対話の内容が深みを帯びるわけではありません。よい議論をするためには、次の三つの思考の仕方が必要です。

ひとつは**創造的であること**です。創造的思考は、想像的で、実験的で、発明志向で、前例のない考えや大胆な発想をもたらそうとします。それは、新しい考えを生み出し、仮説を立て、他の可能性や対抗案を提示し、極端な想像をしたり、比喩や架空の事例を思いついたりします。それは、アイデアを広げて、人を刺激し、人に新しい考えを思いつかせます。軽やかで、柔軟で、突飛で、芸術的で、遊び心に満ちています。

議論では、特に、テーマや問いを思いつく段階では、これまでにない新しい発想を生み出すことが大切です。次のような方針で創造的思考が発揮されます。

・新しい考えや観点を出して、議論を新しい方向に導く。
・これまでにない仮説や仮定を立てる。
・想像力を膨らませた考えや極端なケースを出してみる。
・事例や反対例を出す。「こういう場合はどうなるでしょうか」など。
・他の人の考えをさらに展開させる。

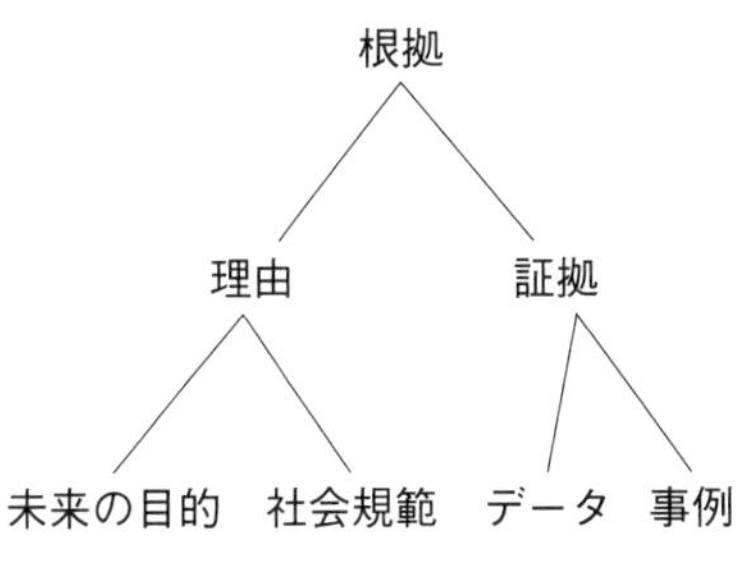

・互いの考えをうまく結びつけて、大きなアイデアにする。
・他の可能性や対抗案を思いつく。
・比較したり、比喩や譬(たと)えを使ったりして多角的に考える。
・思考実験をする。「こうなったらどうなるだろう」と空想を膨らませながら、しかし論理的に考えてみる。たとえば「不老不死の薬ができたらどうなるだろうか」など。

二つ目は「**批判的思考**」です。批判的思考とは、ある主張の真偽や妥当性を検討してみる態度のことです。「批判する」とは哲学の用語で、ある主張の根拠を検討しようとする態度のことです。

ここで私が言う「根拠（ground）」とは、ある主張を支える前提となるもののことです。そして「根拠」には、二つの種類があります。ひとつは「理由（reason）」で、もうひとつは「証拠（evidence）」です。

ひとつ目の「理由」とは、主張を支える論理的な前提となるものです。理由は「なぜですか」という質問に対する答えとなるものです。さらに、理由には大きく分けて二種類あります。ひとつは「未来の目的」であり、もうひとつは「社会規範」です。

たとえば、「タバコはやめるべきです」という主張があったとしましょう。そこで「なぜですか」と質問されたときには、「あなたの健康を損なわないためです」という答えは、「健康を損なわないでいる」という未来の目的を述べています。あるいは別の答えとして、「煙で人に害を及ぼすからです」という答えは、「人に害を及ぼしてはならない」という社会規範を述べています。この両方の答えとも、理由になります。

次に「証拠」ですが、これは主張を支える実証的なデータや事例といった「事実」のことです。たとえば、「喫煙は健康に悪い」といった主張に対して、「その根拠は何ですか」と問われたときには、喫煙者が非喫煙者よりも肺がんや心筋梗塞（こうそく）などを起こしやすい医学的なデータを示せばいいわけです。

さて、批判的思考の話に戻ると、批判は非難することとはまったく別のことです。

「批判する」ということは、「どういう根拠でそうおっしゃるのですか」「なぜですか」「どういう証拠がありますか」といった根拠、つまり、理由や証拠を尋ねる質問をすることに他なりません。言葉がきちんと定義されているか、意味が明確になっているか、主張の根拠が正しくあげられているか、主張がデータに裏打ちされているか、推論は論理的か、反論や批判に適切に応答できたか、といったように、ある主張をきちんと検討し、点検しようとする態度です。ですから、批判的態度とは、何でもただ疑ったままでいることではなく、「本当のことは何なのだろう」「真実はどれなんだろう」と事実や真理を追求する過程の最初の段階のことなのです。批判的態度が自分の考えに向かうとき、つまり、自分の考えを自分で検討したり点検したりすることが、「反省的思考」と呼ばれます。

私たちはしばしば根拠もないことを信じたり、人に言ったりします。批判的思考を身につけるということは、日常生活でも根拠のない情報は信じなくなり、常識とされているることでも留保をつけて受け取るようになることです。またそれは、不確かなことをさも本当であるかのように吹聴しなくなるということです。学校での学びは、日常生活を変えるものにならなければ意味がありません。

伝聞で聞いたことやネット記事で読んだことでも、あるいは、これまで確かな事実だとされていることでも、権威のある学説だとされたことでも、「本当かな」と一旦疑い、自分で調べて確かめてみる、他の情報と照らしあわせてみる、他の人と議論してみる、といった姿勢をとることが批判的な態度です。自分が当たり前の常識と信じていることこそ、あらためて検討してみる必要があります。そしてそれは、自分を過信しないということでもあります。

批判的思考は、仮説を定立するときの検討、情報収集や社会調査、実験観察の検討と調整、そして、仮説を検証するときに力を発揮します。以下は批判的思考の働く場面です。

・発言の意味や言葉の定義をはっきりさせる。
・ひとつの概念を他の概念との違いを意識して、区別して使う。
・その概念と反対の概念は何かを考えてみる。

・証拠となる具体例やデータを示す。
・その具体例やデータが適切かどうかを検討する。古いデータではないか、今検討中のこととは条件が異なっていないか、信頼できる人や機関の出しているデータか。
・判断するときの根拠や基準を検討する。
・推論（コラム1）を適切に行う。誤った推論を指摘する。
・証拠やデータが主張をきちんと裏打ちしているか検討する。
・自分（たち）の主張の隠れた前提（コラム2）に気づく。自分が知らず識らずのうちに前提としていることはないかを考えてみる。
・反論や反例をとりあげて検討する。

コラム1　論理と推論

論理とは、正しい推論のことです。推論には、二種類あります。一般的な前提から個別の帰結を導く「演繹（えんえき）」と、個別の事例の集積から一般的なものを導く「帰納（きのう）」です。

演繹とは、典型的には、「人間は脊椎動物である。すべての脊椎動物は脊椎を持つ。人間は脊椎を持つ」といった推論です。帰納とは、「このカラスは黒い。あのカラスも黒い。そのカラスも黒い。……すべてのカラスは黒い」という推論です。狭い意味での論理とは、演繹的推論を指します。

演繹的推論は、前提が認められるなら、その帰結も必然的に正しくなります。帰結が前提の中に含まれているので、前提を分析すれば正しく帰結を得ることができます。ですから、演繹の帰結は「分析的に真」と呼ばれます。たとえば、「脊椎動物である」という前提の中にすでに「脊椎を持つ」という帰結が含まれています。「三角形には辺が三つある」も分析的に真です。分析的な真は誤ることはないのですが、既知の情報以上のものをもたらしません。その意味で知識は増えません。数学や論理学での推論は、演繹的です。

他方、帰納的推論は、蓋然的に正しいだけです。これまで目撃されたカラスが全て

誤った推論の例	
論点先取	論証すべきもの（結論）を前提として立てる不当な仮定。「彼は誠実な人物なので、彼の言うことに嘘はない。」
前件肯定	AならばBであってもその「逆」は真ならず。「人間は動物だ。そのイヌは動物だ。だから、それは人間だ。」
ポスト・ホック誤謬	継起的に生じた2つの出来事を、因果関係と同一視する。「ナマズが暴れたあとで、地震が起きた。地震の原因はナマズだ。」
権威による論拠	誤った権威への訴え方。「あの先生は医学の権威だから、あの人が支持する政治家も信頼できる。」
人に訴える論証	発言そのものを検討せずに、発言者によって発言の妥当性を決めてしまう。「あの人の言うことだから信用できない。」
滑りやすい坂論法	いったん坂を滑り出すと止まらないので、初めの一歩を踏み出すべきでないという考え。連続しているものには合理的な線引きはできないという考え。「小さな嘘でも認めると最後には詐欺も構わないということになってしまうので、どんな小さな嘘でも絶対に認めるべきでない。」
偽りのジレンマ	誤った二者択一へと導くこと。ジレンマとは、どちらをとっても望ましくない結論が出てくる二者択一のこと。「この商品は高額ですが、これを使わないとどんどん不健康になってしまいますよ。」
性急な一般化	少ない事例で、過剰に一般化すること。「あの町でスリにあった。あそこの町人はみんな泥棒だ。」
有利な証拠のみの論証	仮説の検証は、肯定する証拠だけではなく、否定的な証拠も探す。「この人も、あの人も、この健康ドリンクが効いたと言っていました。だからこのドリンクは健康にいい。」

黒くても、次に白いカラスが発見されるかもしれないからです。したがって、帰納的推論の与える情報は誤る可能性があり、不確かさを含んでいます。ですが、それゆえに、帰納的推論は既知の情報以上のものをもたらします。知識が増える可能性があります。科学の法則は、すべて帰納的に得られたものです。

コラム2　隠れた前提

相手の主張が理解できないときには、自分が共有していない相手の隠れた前提（暗黙の前提）がないか検討してみましょう。

Aさん「タバコは吸っては駄目だよ」
Bさん「構わないじゃないか」
Aさん「タバコは健康に悪いでしょ」

Bさん「それでも、構わないじゃないか」

Bさんは、「健康よりも大切なものがある」という前提に立って発言しています。この価値観を、Aさんは共有していないということになります。

批判的思考力を育てるには、端的に言うと、質問をする力をつけるといいでしょう。そんなに難しいことではありません。相手の主張を聞くときには、「その言葉の意味は何ですか」「どうしてそう思うのですか。理由は何ですか」「その主張を裏打ちする証拠やデータはありますか」という質問をつねに心に抱きながら聞くとよいでしょう。その質問が満足しないときには、相手に質問をすればよいのです（一一一ページも参照）。

創造的思考だけでは、たとえアイデアがどんどん出てきても、それに論理的な整合性があるか、実現可能な考えなのかは検討されないままです。逆に、批判的思考はある主張の正しさを検討することはできますが、それだけでは新しい豊かな発想は出てきません。参加者がこの二つの思考をそれぞれ発揮し、参加者どうしで刺激しあい、対話の中でその二つの思考を組み合わせることによって、はじめてよいディスカッションになります。

そして最後に、一番大切な思考が「**ケアする思考**」です。ケアとは、「慈しむ」「世話をする」「気に掛ける」「介護する」「いたわる」といった意味であることはご存知でしょう。ケアする思考とは、これから考えていこうとする対象やテーマや問いを大切に思い、それをめぐる考えや発想を育てていこうとする態度のことです。それは、探究に対して責任を持ち、それを発展させていこうとする慈しむ態度のことでもあります。たとえば、自分の町を大切に思う気持ちと、その発展について真剣に考えてみようとすることはひとつのものであるはずです。

自分の考えやテーマもケアすることで成長します。考えやテーマのような生き物でないものを慈しむなど、変に思われるかもしれません。しかしある意味で、考えることや発想すること、話し合うことは生き物のように、扱い方によってはいきいきと成長したり、逆に萎(しお)れてしまったり、成長が止まってしまったりするものです。

たとえば、話し合いで他人の意見でよいと思う点を取り上げて、「この考え方では、こういう点にメリットがある」と指摘してみたり、「このように考えればさらによくなるのではないか」と提案したりすることが、その最初の考えを育てていくことになるでしょう。また、「そういう考えだと、本当にこのプロジェクトを成功させることはできないのではないか」とか、「この計画だと、こうした子どもは仲間には入れないかもしれない。それでは、教育としてどうだろう」など思考の対象や目標のためになるかどうかを気にかけることもケア的な思考です。こうした思考があってはじめて、創造的思考も批判的思考も、本当に役に立つものになります。思考には慈しむ態度が必要なのです。

話し合いの活動では、参加者が共に考える態度をとり、今述べた思考の三つの仕方を発揮しながら、議論を豊かに膨らませ、論理的に発展させ、批判的な試練にかけることで成長することが大切なのです。話し合いが優れた成果をあげるかどうかは、共にアイデアを育てようとする姿勢を全員が持っているかどうかにかかっています。次に以下では、具体的な哲学対話の進め方を説明します。

（4）対話の進め方

①テーマを選ぶ

まず、探究するテーマを選びます。授業の中で、すでに最初からテーマが定まっている場合もありますが、テーマ設定が個々人やグループに任されている場合は、最初にテーマを決めます。グループで共通のテーマや問いを探究するときには、もちろん話し合う必要があるのですが、個々人で自分のテーマと問いを探究する場合でも、自分のテーマや問いについてグループで検討してもらうと、とても有意義です。自分では気づかないさまざまな発想や、思いつかない角度からの検討を得ることができます。

テーマについて、自分の関心のある事柄をキーワードであげてもらい、ホワイトボードや模造紙に書きます。全員にキーワードを出してもらったら、その中でひとつにまとめられそうなものはひとつにまとめていきます。たとえば、「近所を流れる川の水質」と「川の汚染」は「川の環境」でひとつにまとめられそうです。そうしてまとめていくことで、出来るだけ多くの人の関心を吸い上げていきましょう。多くの人が関心を持っているテーマを選ぶと、多くの人が参加意識を持てます。最後に、どのテーマにするかを決めます。

②問いの決定

テーマに沿った問いを、議論して決めます。問いは、テーマとは違います。これを区別することは大切です。

たとえば、「○○川の汚染」というテーマに決まったとすれば、そのテーマについての問いを具体的に立てます。探究が問いの形をしていないと、テーマについて何でも調べることができるので、まとまりや方向性のない探究になってしまいます。探究に最後に結論を与えるためには、問いを立てなければなりません。

問いは、自分自身が関心を持っていると同時に、それを探究して、その結果を人に知ってもらう価値のあるものでなければなりません。ですが、まずは面白そうな問いをどんどんと思いついたものから板書して（模造紙などに書いて）いきましょう。

問いは疑問文で書かれていなければなりません。たとえば、「近所にある川の汚染は、私たちの生活にどういう影響を与えるのか」「川の水質汚染の原因は何か」「この川の汚染は、その先の海の生物にどう影響を与えるか」といった問いが考えうるでしょう。最初は思いつきで構いません。

ある程度、問いが集まった時点で、検討に入ります。あがってきた問いの中で、探究するに値し、かつ自分たちで探究可能なものを選びます。

探究とは、新しい何かをわかろうとして追求することです。あまりに容易に調べられそうなものは探究する価値がありませんし、そもそも面白くもありません。すでに調べられて結果が出ているのですから、自分たちがあらためて実施する必要性は薄いです。また、自分の関心や生活にあまりに離れた問いを探究するのでは、動機が続かないでしょう。また自分たちの能力や使える時間を大幅に超えたことを問いにしても実行できません。

探究の初期の段階では、大きなテーマと問いを話し合ってみるのもよいと思います。たとえば、ある高校では、総合の時間で「地域創生」というテーマが選ばれていました。このテーマに関する問いとしては、「地域創生とはそもそもどういうものか」「地域創生をするのはよいことなのか。このままではダメなのか」「持続可能な社会というけれども、それと産業の発展は両立するのか」「この地域はこれまでの特徴を生かすべきなのか、それともまったく新しいことを始めた方がいいのか」などたくさんの根本的な問いが出てきました。

これらをそのまま探究するにはテーマも問いも大きすぎるのですが、最初にこうした大きなテーマや問いで話し合っておくと、テーマについての基本的な考え方や自分の価値観、大きな構想などについて論じ合うことができます。アイデアの幅が広がりますし、探究の最終目標や根源的な価値がどこにあるのかも考えることができます。探究の最初の段階で、こうした大きなテーマと問いで哲学対話を行い、それから自分たちで、この時間の授業で探究できるテーマと問いに徐々に絞り込んでいけばよいと思います。

繰り返しますが、この「問いを絞り込んでいく過程」が一番難しいのですが、探究の中では非常に大切な部分です。重要な大きなテーマと問いを見失うことなく、自分たちで扱える範囲の問いに絞り込んでいきます。小さな問いに絞り込めても、あまりに些末（さまつ）で、意義の薄いものでは意味がありません。あまりに壮大な問いも、漠然としていてつかみどころがなく、どうやって答えを与えればよいか途方にくれてしまいます。

高校生でも大学生でも、多くの場合に最初にあまりに大きすぎる問いを立ててしまう傾向がありますので、みんなでうまく絞り込めるように議論してください。この場合には、批判的に問いを考えることが有益です。

③問いへのアプローチを考える

問いが適切なものに絞れたとして、次に話し合うのは、その問いにどのように解答を与えるのか、そのアプローチの仕方や探究の方法についての検討です。ある問いに解答を与えるには、問いの種類に対応して大きく二つの仕方があります。

問いには、「事実に関する問い」と「価値に関する問い」の二種類があります。「事実に関する問い」とは、実際に物事がどうあるかを知ろうとする問いです。「一五〇年前には、この森にはニホンオオカミが生息していたか」とか、「今年のこの地域の雨量はどれくらいか」「七〇歳以上の人はこの地域に何人いるか」「この地域にもうひとつ病院を作ることに賛成の人は住民の何割か」といったことは全て事実に関する問いです。

もうひとつの「価値に関する問い」は、「この町の人口を増やすことはよいことか」

「年金は何歳から支給するのがよいか」「二つ目の病院には価値はないか」「この川に堤防を作るべきか」など、「よい」「わるい」など価値評価に関することや、「べき」「べきでない」という「すべきこと・すべきでないこと」（これを「当為」と言います）に関わる問いのことです。

「事実に関する問い」は、それが自然についての事実（「雨量はどれくらいか」とか）であろうと、人間や社会についての事実（「ある政策に賛成の人はどのくらいいるのか」）であろうと、調査しなければなりません。自然科学的な事実に関しては、実験や観察が必要になります。社会的な事実に関しては、社会調査というものが必要になります。これらはしっかりした方法で行わなければならないのですが、これについては後ほど説明します。事実についての問いを検討するときには、その調査方法が科学的に正しく妥当な方法になっているかどうかも検討する必要があります。

また事実は、調査や実験観察だけではなく、すでに発表された報告や研究などの文献・資料からも得ることができます。たとえば、「七〇歳以上の人はこの地域に何人くらいいるか」という問いは、総務省が出している市町村の人口統計調査を参照すればよ

事実について述べた文章（事実命題）

・科学的事実
（例）「光の速度は秒速約30万キロである」
・歴史的事実
（例）「関ヶ原の戦いは1600年10月21日に起こった」
・社会的事実
（例）「アメリカ合衆国は大統領制の国である」

→事実に関する文章を認めさせるには科学的実験・観察、統計調査、アンケートなど、確かなデータによる「証拠」が必要。事実に関する文章は、100％の人が認めてくれることがある。

価値について述べた文章（価値命題）

・選好　「～のほうが良い」「～のほうが悪い」
　　　　「～は正しい」など
（例）「短くても大事を成し遂げる人生のほうがよい」「人類の環境破壊は非常に悪しきものである」「A氏の主張は正しい」
・当為　「～すべきだ」「～はしてはならない」など
（例）「税金は払うべきだ」「行政は司法に介入してはならない」「老人には敬意を払うべきである」

→価値に関する文章を認めさせるには「同意」が必要。価値に関する文章は、全員が認めてくれることはほぼない。完全な同意は得られない。

いでしょう。「一五〇年前には、この森にはニホンオオカミが生息していたか」は、動物学関係の書籍や論文などによって知ることができるでしょう。

しかし「価値に関する問い」は、いくら調査しても観察実験しても、「事実」の中に答えは見つかりません。価値に関する主張は、人間それぞれが自分の考えに基づいて判断するものです。ですから、価値に関する主張は、読者や聞き手に自ら同意してもらう以外にないのです。たとえば、この町の人口を増やすことはよいことかという問いについては、個々人の考え方や立場に応じてさまざまな解答がありえます。そのため、自分と相手に共通の価値や考え方を見つけて、そこに訴えて同意してもらう以外にありません。

したがって、「事実に関する問い」には、一〇〇名中一〇〇名が納得してくれる解答を得ることが可能ですが、「価値に関する問い」については、それは望めないでしょう。価値に関する主張は、できるだけ多くの人の同意を得られるように、いろいろな立場や考え方を考慮しながら、説得していくことしかできません。そのために、哲学対話のようなさまざまな意見を検討できる場が貴重なのです。

「事実に関する問い」は、ひとつの文献を調べたり、ひとつの調査や実験を行ってしまったりすれば、解答できてしまうものもあるでしょう。それでは、探究というにはあまりに容易すぎます。そうした場合には、問いが探究するのに十分な価値を持っていなかったのです。

探究とは、長い時間をかけるものです。医学の研究所では、難病の治療法を巡って、何世代、何十年にわたって研究されているテーマや問いもあるでしょう。「優れた政治とはどういうものか」という哲学的であり政治学的である問いは、古代中国、古代ギリシャの時代から何千年も追求されてきて、いまだに完全な解答を得られていません。

学校の生徒や大学生の皆さんでは、そこまで壮大なテーマでは扱いきれません。数カ月から一年程度で一区切りができるようなテーマと問いに設定した方がいいでしょう。しかし「事実に関する問い」であっても、それだけの時間に値するような重要で価値のある問いにすべきです。

④仮説を立てる・仮の主張を立てる

「仮説を立てる」とは、現在の限られた情報から仮の結論を立てておくことです。問いに対する仮の結論、すなわち仮説を想定しておかないで、事実について調べようとしても、的が絞り込めていないため、調査や観察実験をすることができません。文献を調べるにしても、仮説がなければ、関連する事実を総花的に調べるだけになってしまいます。ただ雑多な事実を寄せ集めただけでは、何かを探究するという一貫した活動ではなくなってしまいます。

たとえば、「○○川に鮎(あゆ)が少なくなったのはなぜか」という問いであれば、「A地域の護岸工事が原因だ」という仮説を立てたり、「この地域に二つ目の病院が必要か」という問いを立てたならば、「必要だ」という仮の主張を立てたりして、その根拠となる証拠を集めてみることとです。もちろん、まだそれは最終的な結論ではないのですから、他の仮説に変える必要性についても考えておきます。

仮説は、調査によって集まったデータと一致するかどうかを検証する必要があります。仮の主張については、その主張に対する疑問や反論に答えられるかどうか、相反する主張に対して反駁(はんばく)(再反論)できるかどうか、対抗する主張よりも説得力があるかどうかが問われます。仮の主張に対して行われるのは、こうした検討です。

これらの検討の可能性を視野に入れながら、みんなで仮説を立ててみたり、仮の主張を立ててみたりしてください。そして、その仮説や仮の主張に対して、相互に疑問や反論を投げかけてみてください。そうして、実際に調査をする前に、仮説や主張を立てて、検討してみるのです。検討において大切なのは、相互の質問です。対話における質問の仕方について次に説明しましょう。

しかし先に説明しましたが、仮説というのは最初からすぐに、明確な実証できるようなものが思いつくわけではありません。探究の初期の段階では、文献調査も不十分なので、問い（リサーチクエスチョン）もまだ漠然とした大まかなものにとどまり、仮説は思いつきや当てずっぽうのようなものしか立てられないかもしれません。

ですが、最初はそれで構わないのです。ある種の目星を立てて探究し、その途中で、徐々にそれを絞り込んだ問いへと掘り下げ、実証ができるような明確な仮説へと鍛えていきます。計画段階での思いつきの「仮説0」を、調査を通じて、それよりは明確な「仮説1」に、中間報告や繰り返しのグループディスカッションを経て、実証ができるような「仮説2」、さらに「仮説3」へと育てていくものです。

この過程に、楽な近道や手軽なマニュアルはありません。創造的なことは、手作業で、さまざまなことをあれやこれやと試してみるうちに、突然にできてくるものです。この産みの苦しみを知ることが、探究型の学習の最大の目的だと言ってよいでしょう。

(5) 対話における質問

哲学対話で一番大切なのは、質問です。対話はただの意見交換ではありません。対話は、同じ問いについて異なった意見を関連づけていくことにあります。**相手の意見について何も質問や意見を返すことがなく、互いに「人それぞれ」といった態度をとっているのでは、対話とは言えず、探究にもなりません。**

相手の意見や主張に対して質問をしていくことが、対話において最も基本として大切にすべき態度です。それは、相手の意見を真面目に取り上げているという敬意の表現でもありますし、しっかり真理を追求するという態度の表れでもあります。

質問では以下のような例があげられます。

①意味の明確化

言葉の意味が曖昧だったり、多義的だったりすると、議論が嚙み合いません。「〜とは、どういう意味ですか」「〜はどう定義しますか」という質問で、意味を明確にするように求めます。

②理由

最も大切な質問がこれです。「なぜですか」「どうしてそう言えるのですか」などの表現で、そう主張をする理由を聞いてみましょう。理由とは、ある行為をする、あるいはそう判断をする根拠をいいます。先に述べたように、通常、目的か社会規範に関係しています。たとえば、「どうしてバナナを毎日食べるのですか」と聞かれて、「健康にいいからです（健康を保つという目的）」とか「不況なので、バナナ農家を助けるべきです（社会規範）」という具合にです。「なぜ」という問いほど、漫然と繰り返されている慣習や制度を問い直すに適した言葉はありません。「なぜ、卒業式をするのですか」という具合にです。「なぜ」は、哲学で最も大切な問いです。どんな主張であれ、数回、なぜと問うと哲学的なレベルに到達するのです。

③証拠

その主張がなされる証拠を示してほしいという質問です。「そうおっしゃる証拠は何でしょうか」「何か具体例はありますか」がそうです。これは、通常、科学的に認められたデータ、すなわち、自然科学では実験観察、社会科学では社会調査によって得られる結果を求めています。対話している最中にデータをもってくることは難しいでしょうが、どういう情報に基づいてそういう主張をしたのかを尋ねるのです。たとえば、ただの噂(うわさ)や風聞なのか、マスコミで聞いたのか、学術書や科学論文なのか、それはいつ頃取得した情報なのかを聞くのです。

④検証

その主張の真偽や正否をあらためて問うことです。たとえば、「それは本当ですか」

「確かにそうだと言えるでしょうか」などです。主張を鵜呑(うの)みにしないで、反省的に確かめてもらう質問です。あるいは、どうしたらそれが真実なのかを確かめる方法を聞いてみます。

⑤一般化

その主張が一般化できるかどうか。特定の条件のもとでのみ成立するものではないかどうかを聞きます。「それはいつも当てはまりますか」「反例はありますか」「この場合にはどうなるでしょう」という質問です。あまりに一般化しすぎではないか、こういう場合には当てはまらないのではないかと思うときに、質問します。

⑥含意

その主張から帰結されることを聞きます。「もしその主張の通りだとすると、どうなるでしょうか」「その主張から、最終的にどういう考えが生じますか」「それが最終的に、何になるのでしょうか」。ある主張が必然的に含んでいる帰結や、その主張の通りにな

議論を深めるための６つの質問	
①意味の明確化	どういう意味ですか。どういう文脈でお話しされていますか。その言葉の定義を教えてください。
②理由	なぜですか。どうしてそう思うのですか。そう主張する根拠は何でしょうか。その理由から主張が導けるでしょうか。
③証拠	その証拠となるデータはありますか。その主張はどういう事実に基づいていますか。根拠となる資料はありますか。具体例をあげてみてください。
④検証	本当にそうでしょうか。それは確かめられましたか。
⑤一般化	それは一般化できますか。それは一般化しすぎではないですか。こういう場合はどうなるでしょう。このケースには当てはまりますか。例外はありますか。
⑥含意	仮にそうであるなら、どういうことになりますか。そこからどういう帰結が生じますか。最終的にどういうことになるのですか。それは何になるのですか。

るとどのような結果になるのかを問います。これは、ある前提からどのような帰結が得られるかを推論することでもあります。

このような質問を納得できるまでしっかりと尋ねてみます。質問された側は答えられなくなってしまうこともあるでしょう。そこが、主張の穴であり、これから再考したり、修正したり補足していくべき点なのです。議論を生産的にするには、反対の意見同士を闘わせるのではなく、ひとつひとつの主張を質問しながら検討していくことが必要なのです。

逆に言えば、**だれもが最初から完全な意見を言うことなどできません**。みんなの前に試食品や試作品を出して、品評してもらい、だんだんと改良して、よいものにしていくのだと考えてください。そうすると、むしろ気楽に発言できますし、ふとしたことから思いついたアイデアが、みんなで質問し合って吟味するうちに素晴らしいものになるときもあるのです。

（6）ファシリテータの役割

ファシリテータとは、対話の司会者のことです。ファシリテータは、哲学対話を行ううえで、最も大切な役割です。

ファシリテートとは、「円滑にする」とか、「やりやすくする」「促す」といった意味です。ファシリテータは進行の助けをするのであって、答えを出すためにいるのではありません。学校では教師がファシリテータの役をすることも多いでしょう。学校の先生は、議論の最後に、「まとめ」と称して結論を与えたがる人が多いようです。

しかし、探究の学習で大切なのは、一生永続的に学び考え続けるという心構えです。これに対して、「まとめ」は何かを終わらせようとする態度です。「何かができた」とか、「知識がついた」とかいって安心しようとする態度でもあります。

古代ギリシャの哲学者、ソクラテスがいわゆる「無知の知」という考えで強調していたのは、「私たちは何もできていない、何も終わっていない、まだ本当には何もわかっていない」ということでした。安心してはいけないのです。安心とは油断であり、慢心です。したがって、哲学対話では、決して無理に結論に誘導しません。もちろん、「今回はこういうことを話し合いました」「こういう議論の流れになりました」という振返りとしてのまとめはあってもいいですが、結論はそんなに簡単に与えられないし、簡単に与えるべきものではありません。

ファシリテータの第一の役目は、対話に参加している人たち全員が話しやすい状態を保つことです。だれかが一方的に話したり、だれかが話そうとしているのに妨害されたりすることがないようにします。話す機会が一部の人に偏らず、なるべく均等になることはとても大切なことです。

だれかを指して話すことを強制することも、よくありません。それは話しやすくすることからはほど遠いのです。意見を強制されると、当たり障りのないことだけを言うようになるからです。ただし、無理強いすることなく、「どう思いますか」とこれまで黙っていた人に話すことをただ促したり、誘ってみたりすることは結構です。それをきっかけとして、話してくれる人もいます。意見を控えている人は、しばしば非常に有意義な意見や鋭い洞察を持っています。それを参加者みんなに提示しないのは、もったいないと言えるでしょう。そのことを伝えて、自然にだれもが話しやすく、恥ずかしがり屋や引っ込み思案な人でも、「話してみようかな」と思うような雰囲気を保つようにします。

哲学対話を経験して、対話にネガティブな印象を持つ人もいますが、その多くは、「一部の人の発言がその場を独占していて、話す機会がなかった」「一部の人だけで話が進んでしまい、内容に追いつけなかった」というものです。できる限り均等に発言が回ると、対話の内容もよくなります。

対話を円滑にするというのは、活発な楽しいおしゃべりを促すことではありません。

よい対話とは、ポツリとだれかが話し、その発言を「う〜ん」と受け止め、みんなで考え、質問し、「こういう考えではどうかなぁ」と別の人がポツリと話す。またみんなが「う〜ん」と言って考える。こうした対話です。

みんなが話しやすいということは、聞き手が話すのを待ってくれるということです。それぞれの意見を検討しながら、ゆっくりと進んでいくことが大切です。だれかがついていけなくなってはいないかを確認しながら、ときにこれまでの議論の流れを振り返りながら、じっくりと話を進めるようにするのです。

ファシリテータのもうひとつ重要な役割は、対話を深いレベルに引き込んでいくことです。哲学対話は単なるお喋り(しゃべ)りではなく、ただの会話や会議でもありません。テーマを深く掘り下げて、より根本的な問題について話し合いながら、全員でゆっくりと考えていく過程こそが大切です。ファシリテータは、それぞれの話をじっくり聞いて、先に述べたように、相互に質問し合いながら内容を検討していきます。なかなかよい質問が出ない場合には、ファシリテータ自らが質問したり、以前に検討されていなかった課題に戻ったりしてみましょう。

ファシリテータは、以下の点に注意しながら対話を促進させます。

・**安心できる場作り**　参加者だれもが安心して話せる場を作れたか。質問や反論が気軽に出てきたか。

・**傾聴**　だれの意見でも傾聴するように促したか。

・**全員参加**　できるかぎり多くの人が参加し、発言できたか。みんなが議論の流れについてきていたか。一部の人の間だけで話を独占しなかったか。

・**沈黙の大切さ**　考えるための沈黙の時間を大切にしたか。話し合いを無理に盛り上げようとしなかったか。

・**質問の大切さ**　しっかり理解するように相互に質問を促したか。ひとつの意見に、相互に質問して内容を深めたか。

・**継続性**　無理にまとめたり、急いで結論づけたりしなかったか。議論を続ける気持ちになっているか。

・**創発性**　みんなが思考を深め、新しい考え方を得ることができたか。一人のときよりも考えが広がったか。

（7）メタ・ダイアローグのすすめ

よい話し合いは、すぐにできるようになるものではありません。何度も繰り返していくなかで、徐々に生産的な対話ができるようにしていきましょう。そのためには、話し合いの内容についてだけでなく、話し合いの仕方や方法についても気を配り、反省していくべきです。

議論の仕方、議論の運び方、ファシリテーションのやり方がうまくいったかどうかを、短くても構いませんので、話し合いの後に、互いに反省する機会を設けるとよいでしょう。この話し合いについての反省を「メタ・ダイアローグ」と言います。「メタ」とは、「後の」とか「上位の」という意味です。

話し合いのやり方や進め方がうまく行ったかどうかについて、数分間、意見を交換するだけで、次の話し合いの仕方が随分と向上します。「今日は少し話の展開が速くてついていきにくかった」とか、「次回は、もう少し積極的に話してみたい」とか、「ファシリテータばかりに任せずに、自分たちでもう少し話し合いを嚙み合わせよう」とか、自分への反省も含めて、話し合いそのものへの感想と、次回はこうしようという提案をしてみましょう。メタ・ダイアローグを繰り返すことによって、そのグループの話し合いの質は向上していきますし、それに応じて、探究の質も上がっていくことでしょう。

【メタ・ダイアローグでの反省点の一例】

・今日は発言できたか。
・今日はきちんと話が聞けたか。
・よい質問ができたか。
・発言や質問どうしにつながりがあったか。
・新しい考えが生まれたか。
・話すことで考える材料が与えられたか。
・対話を楽しめたか。

第四章　文献収集と読み解き方

これまで、探究型の学習の（1）テーマの発見と問いの設定、（2）仮説の定立を話し合いながら行う方法について説明しました。ここでは、（3）仮説の実証の仕方を説明します。実証とは、信頼できる科学的なデータ（証拠）に基づいて、ある仮説の正しさを示すことです。

1　実証の方法

ある仮説を実証するためには、信頼できるデータを揃(そろ)えなければなりません。そのためには、主に「実験観察」「社会調査」「文献調査」の三つの方法があります。「実験観察」は、自然科学的なテーマに関するデータを集める方法です。皆さん、小学校から高校までいろいろな実験観察を行った経験があるかと思います。探究の時間でも自然科学的なテーマや問いを探究することはできますが、そのときに、既存のデータがない場合、あるいはデータが古い場合には、実験観察を行う必要があります。

　実験や観察をどのような方法で行うかは、分野によって違います。探究の時間において、実験観察をどのようにすればよいかは、担当されている先生と相談する必要があります。しばしば高校にある装置や器具では実施できないような実験観察もありますので、できる範囲のことに探究を絞ることになるでしょう。

「社会調査」は、社会科学的なテーマに関するデータを集める方法です。対象となる社会的な事象から直接にデータを収集し、整理・集計を行い、分析を解釈する方法です。これによって人々の意識や行動の実態を捉えようとします。

　社会調査には主に二種類あります。ひとつは「統計的社会調査」で、これはある社会の全体像を把握するために大量のデータを取り、量的に処理する実地調査です。これを「量的調査」と呼ぶこともあります。多くの場合、調査票を作り、これに回答してもらうことでデータを集めます。

　もうひとつは「事例的社会調査」で、「質的調査」とも呼ばれます。質的調査の方法にはいくつかあり、インタビュー、参与観察、フィールドワーク、事例研究、会話分析、エスノメソドロジー（ある社会の成員によって用いられているものごとのやり方や方法について研究する社会学）などさまざまにあります。これらの方法の共通点は、インタビューや観察、文書や映像、録音などの質的（定性的）データを集めることにあります。これらの調査では、量的に処理しにくい対象や一般化が困難な複雑な対象を分析したり、対象の時間的変化や複雑な構造を明らかにしたりすることを目的としています。

どちらの方法も大学では、人文社会科学系の学部で調査法として学ぶことが多いものです。高校の探究の時間でも、先生が指導してくれるなら、小規模な形でこれらの社会調査を実行することは可能でしょう。[3]

ただし、自然科学的な実験観察にせよ、社会調査にせよ、これらには、たとえば、プライバシーに配慮する、データを捏造（ねつぞう）しないなどの倫理的なルールがあることに気をつ

3　社会調査に関しては、以下の書籍が参考になります。北澤毅・古賀正義編『質的調査法を学ぶ人のために』（世界思想社、二〇〇八年）、佐藤郁哉『フィールドワークの技法：問いを育てる、仮説をきたえる』（新曜社、二〇〇二年）、西山敏樹・鈴木亮子・大西幸周『データ収集・分析入門：社会を効果的に読み解く技法』（慶應義塾大学出版会、二〇一三年）。

けてください。

三番目は、「文献調査」です。これは自分の仮説あるいは主張の実証を、信頼できる文献資料に求める方法です。実験観察や社会調査は、探究する人が自分で直接に対象を調査し、データを得ようとするものです。これに対して、文献調査とは、すでにだれかが文書やデータの形にして公表したものを利用することです。その意味で、文献調査による実証は、実験観察と社会調査が直接的で一次的であるのに対して、間接的で二次的だと言えるでしょう。しかしその分、調査がやりやすく、高校生や大学生には接近しやすい方法です。専門家や研究者であっても自分の専門以外の部分は文献調査に頼ります。以下では、文献調査の仕方を説明します。

2 文献の探し方

ここでいう「文献」とは、探究にとって必要な情報を有している、公に利用可能な媒体を意味しますが、具体的には、図書、雑誌(雑誌論文)、報告、新聞、電子媒体での資料などがあります。

探究にとって文献を調査して利用することは、二つの点で重要な意味を持ちます。ひとつは、今述べたように、**自分の仮説を支える証拠を見いだす**ことです。もう一つは、哲学対話のグループで仮説や仮の主張を考えた後に、**さらに仮説を見直したり修正したりするアイデアを得る**ことです。

証拠として利用する場合にも、アイデアのための情報として利用する場合でも、参照する文献は信頼できるものでなければなりません。とりわけインターネット上の情報には、フェイクや誤った情報、特定の政治的立場を擁護するためのプロパガンダ、個人の感想にすぎないものなど、探究としては頼ることのできない情報も多数含まれています。情報がどれくらい信用できるかは、以下のような基準で判断します。

・**著者の信頼性**　著者・作者がだれであるか。信頼できる人物であるか。その分野の専門知識を持っているか。
・**内容の正確性**　内容が正確に調べられて書かれているか。
・**意図と読者対象**　どういう意図で書かれているか。だれに向けて書かれているか。

・公平性・客観性　書いてある情報や意見に偏りがないか。
・最新性　かつては信用された学術論文でも古くて使えなくなっていることがある。

大学や研究所の図書館では信頼できる文献を精選して揃えています。

そこで、自分の探究に関係する文献を探して利用する方法を以下に述べます。文献はインターネットで検索し、探し出します。ネットでの検索は、ダウンロードしたり、一度にいくつものウェブページを開けたりすることが多いので、スマートフォンや小さなモバイルよりはパソコンがいいでしょう。文献を探して利用するには、主に以下の三つの点でインターネットを利用します。探究の順序に沿って説明します。

(1) 関連資料のリスト作り

これは、学術的な書籍や論文を扱っているデータベースサイトにアクセスして、自分が探究しているテーマや問いに関連する資料をリストアップすることです。

まず、ご自分の所属する学校や大学の図書館の所蔵検索エンジンを調べてみましょう。

①テーマに関する基礎的知識や用語を調べる

想IMAGINE Book Search：新書マップやWebcatPlus、Wikipediaなど複数のデータベースを、検索エンジンGETAを用いて横断検索できるサイト。
http://imagine.bookm A p.info/im A gine

Webcat Plus：さまざまな情報が統合されていて、本、作品、人物で整理され、関連する図書を検索できます。
http://webcatplus.nii.ac.jp

JapanKnowledge Lib：日本大百科事典、現代用語の基礎知識、大辞泉など辞書や辞典を見ることができます。用語の調査にうってつけです。 https://japanknowledge.com/library/

②テーマに関する資料を探す

地域の公共図書館の検索エンジン

学校や大学の図書館の検索エンジン

BookPlus：日外アソシエーツが提供する国内最大の図書情報データベース。
http://www.nichigai.co.jp/database/book-plus/guide.html

CiNii Articles：国立情報学研究所が提供する国内の学術論文検索サイト。無料でダウンロードできる論文も多い。
https://ci.nii.ac.jp

MagazinePlus：国内最大の雑誌・論文情報データベース。
http://www.nichigai.co.jp/database/mag-plus.html#

Google Scholar：Googleが提供している総合的な論文検索サイト。論文・書籍・要約・記事などから自分のテーマに高い関連性を持つものを探すことができます。
https://scholar.google.com

大学であれば、十分な数の関連文献を見つけることができるかもしれませんが、高校の図書室では足りない場合も多いと思います。そこで、以下のようなサイトで検索をかけてみましょう。

これらのデータベースに、自分が探究するテーマや問いのキーワードを入れてみます。あまりに包括的な言葉を入れると大変な数の文献がヒットしてしまいます。かといって、いくつもキーワードを入れすぎると重要な関連文献が抜け落ちてしまうかもしれません。そこで何度も検索して、重要と思われる文献のリストを作ります。そのときに注意する点は以下の通りです。

- **網羅性**　分野全体を網羅的に探す。重要な文献を見逃さないようにします。
- **最新性**　最新の情報を重視。ネットでは新しい順に文献を探します。
- **不偏不党性**　テーマや問いに関してさまざまな立場から発せられた文献を探し、得られる情報に偏りがないようにします。
- **情報の信頼性**　先に述べた情報の信頼度に気をつけます。

また、皆さんが必要とする文献は、書籍や学術論文ばかりとは限りません。以下のような資料も重要な文献となります。

・**辞書、百科事典、専門辞典**　出版社、大学研究室などが提供。
・**官報、議会資料、白書、政府自治体情報**　各国政府、官公庁、地方自治体、政府系シンクタンクが提供。
・**統計資料**　政府系統計センター、国連統計局、全国統計協会連合会など民間統計機関が提供。
・**研究所、博物館、美術館などのデータベース**　日本の国立情報学研究所の多様なサービス、国内外の博物館・美術館が提供。
・**法令集、判例集**　法務省、裁判所が提供。
・**ニュース**　新聞社やテレビ局などマスメディアが提供。

(2) 文献を手に入れる

ネットでリストアップしたときに、その文献がどこに所蔵されているかもわかります。書籍の場合、学校図書館や公立図書館などの検索エンジンで調べたなら、その図書館のどこに所蔵されているかも記号で示してあります。

学術文献の場合、一般的な検索サイトで調べると、どの大学、どの図書館に所蔵されているかわかります。書籍であれば、それをどういうかたちで公開してくれるのか(貸してくれるのか、見せてくれるだけなのか、部分コピーの郵送を依頼できるのか)を調べましょう。電子メールや電話で担当者に質問してみましょう。

しかし雑誌論文や、政府や自治体の報告や統計資料、研究所、博物館、美術館のデータベースは、ネットで直接にアクセスできたり、ダウンロードできたりするものもかなりあります。辞書や百科事典も無料で利用できるものがあります。

また、各マスコミのニュースも、有料の場合もありますがネットで手に入れられるものがたくさんあります。大学が刊行している研究紀要や報告、あるいは学会の雑誌論文にはそのままダウンロードできるものも多く、簡単に検索できて、利用できるようになっています。海外の文献も同様です。

大学や研究所では、ローカル・エリア・ネットワーク（ＬＡＮ）を利用して、そこに所属している研究者・職員・学生だけが、電子ジャーナルをオンライン上で読むことができるシステムがあります。数百の雑誌を集めたパッケージもあり、多くの大学図書館や研究所で利用されています。これによって必要な文献のほとんどを確認することができるでしょう。

（３）第二リストと文献メモを作る

以上で、最初に作った文献リストの著作物が集まったとしましょう。続いて最初にすべきは、このリストに載っている文献を速読して、分類し、第二リストを作ることです。

ここでいう「速読」とは、速く目を動かして読むことではありません。**その文献がどういう種類の文献であるかを拾い読みすること**です。論文であれば、要約だけに目を通します。書籍であれば、目次や序論または結論の全体をまとめてある部分、翻訳書であれば翻訳者の解説を読んで、その文献がどういう種類の文献で、自分はどのようにそれを利用するのか目処を立てるためにザッと拾い読みするのです。

なぜ、そのようなことをするかというと、あるテーマや問いに関して必要な情報を集め、偏りなく多様な意見を知るには、たくさんの文献を読む必要があるからです。しかし、それをひとつひとつ見つけた順番に読んでいくと、ある文献はかなり読んでからテーマからはズレていることに気がついたり、ある文献は読んでみるとあまりに偏った意見だったり、古かったりと、いわゆるハズレの文献を読んでしまうことがあります。特に、アイデアを得ようとして本を読んでいると、かなり読んでから失望することも少なくありません。そうならないように、網羅的に文献にあたり、重要なものをピックアップしてから、しっかりじっくり読めばいいのです。

一つの論文なら五分、書籍なら一〇〜一五分と決めてしまってその時間内に読むのもよい方法です。こうした場合には、グループでの探究が有益です。リストに二〇の文献をあげておき、五人のグループなら一人で四つの文献にあたるのです。文献を次のような基準に沿って分類し、ごく簡単な「文献メモ」を取っておきます。

①**アイデア用**　自分の仮説や主張を発想するためのアイデアとして役に立つ資料。
②**実証用**　仮説を立証してくれるようなデータがある。あるいは、意見を支持する見解が論証されている資料。
③**検討用**　自分の仮説や主張に対する重要な疑問や反論、代替案や対抗案が示されている資料。

このような種類に分けると同時に、最初から最後までしっかり読んだほうがいいのか、部分的に役に立つ資料やデータがあるのか、最終的に言及も参考にもしないかもしれないのかなど、重要度もメモしておきます。もちろん、もう読まなくてよいような文献はリストから外します。

こうして文献の第二リストを作るのです。リスト作りにそんなに丁寧に手間をかける必要はありません。ザッとやればいいのです。

3　文献の精読の仕方

以上のように、文献を集め、簡単な情報とともに分類できたら、その文献の中の重要なものを精読していきます。

実証的なデータや証拠として使えそうな文献は、もう一度、その情報が信頼できるかどうかを確かめておきます。よりしっかり精読すべきなのは、**自分の仮説や主張にアイデアを与えてくれそうな文献**と、その逆に、**自分の仮説や主張に対する疑問や反論、代替案を出している文献**です。

これらの文献は、批判的に読解します。批判的読解とは、そこに書かれていることが正しいか、根拠があるか、理由は何か、証拠があるかと考えながら読むことで、相手の主張を鵜呑み（うの）みにしないということです。

それは言い換えれば、哲学対話における「質問」、つまり、意味を尋ねたり、理由を聞いたり、証拠があるか聞いたり、一般化できるかと聞いたり、最終的にどうなるのかと聞いたりする質問を、その文献を読みながら思い浮かべることに他なりません。図書館で借りた本にはできませんが、自分で購入した本ならば、そうした簡単な疑問の言葉（「なぜ？」「本当か？」「根拠は？」など）を本に書き込みながら読むとよいでしょう。または付箋を貼って、そこに短いメモを書いてもいいでしょう。

批判的読解でとくに気をつけなければならないのは、文献の立論の構造に注意しながら読むことです。立論とは、根拠、すなわち、理由と証拠が示してある主張です。根拠を示していない主張は、ただの意見です。

繰り返しますと、根拠には、理由と証拠の二種類があります（八九ページ）。理由とは、意見を支える前提のことです。証拠とは、ある意見を事実として裏打ちする実証的なデータのことです。

たとえば、「沖縄の米軍基地は縮小すべきである」という発言は、それだけですと、ただの意見です。この主張に、たとえば、「基地は、沖縄県人ばかりに不利益をもたらしているから」という理由（「負担の公平性」という社会規範）が示され、さらに、不利益の証拠として、たとえば、基地の土地占有率、米軍人の犯罪発生率の他の基地との比較、騒音公害などのデータなどが挙げられていれば、立派な立論になります。

この立論には、不利益の証拠となるさまざまなデータが示されているのですが、その前提として「ある県民に不利益をもたらすものは少なくすべきだ」という価値命題が根拠として含まれています。この価値命題に同意し、データが正しい場合には、この立論は説得力を持つことになります。

資料となる文献を読解するときには、「中心的な主張が十分な証拠・データによって支えられているか」「そこに含まれている価値命題に同意できるか」という点に注意しながら読んでいきます。すると、文献を読み進めるうちに、証拠やデータが十分でない部分、あるいは、価値命題に同意できない部分がでてくることがあります。

【精読のポイント】

・著者の主張の中で理解できない点をピックアップしておく。
・なぜ理解できないのかを考える。その際、単純に自分に理解力がないからだと、自分のせいにしない。
・同じ言葉を自分と違った意味で使っていないか検討する。
・著者には、（自分が共有していない）隠れた根拠があるのではないか検討する。
・根拠や証拠がそもそも薄弱ではないか検討する。

・論理的な飛躍があるのではないか検討する。

そこで生まれた疑問の中から、自分の仮説や主張につながるアイデアが出てきます。文献の中から、自分の仮説や主張として採用したい意見も出てくることでしょう。そうした場合には、高校生や大学生ならば、だれそれの文献に出てくるこれこれの考え方を仮説として探究を進めるというスタンスをとっていいのです。その代わりに、そのアイデアが誰のどの文献から取ってきたものかはきちんと記録し、明らかにしておきます。

逆に、自分が最初に立てた仮説や仮の結論については、それに疑問や反論、代替案を出している文献をしっかり読みます。もしかすると、最初の自分の仮説には重大な欠点が見つかり、もう一度考え直さないといけないかもしれません。

あるいは、最初に思いついた自分の主張は、一面的で、他にも考慮しなければならない面があることに気づかせてくれる文献があるかもしれません。そうした場合にも、文献を批判的に読解し、それでも十分な説得力がある場合には、その疑問や反論を素直に考慮すべきです。

ですが、それらの文献を読んでも、やはり自分の仮説や主張の方が正しいと思う場合もあるでしょう。それでも結構です。相手の考え方のどこに問題があるのか、明らかにしておきましょう。繰り返しになりますが、このように、自分の仮説や主張を練り上げていく過程こそが、探究型の学習で最も大切な部分なのです。

文献の読解もグループでやると楽になります。分担を決めて要約して報告をし合うと、一人で読むよりも一気に何倍もの文献にあたることができます。そして報告の時に簡単な質疑応答を交えると、文献の理解が進みますし、また自分たちの探究にとってその文献がどのような部分で何の役に立つのかを把握できます。

4 要約の仕方

今述べたように、文献を分担して要約を報告し合うのは大変に有益で、効率がよい勉強の仕方です。そこで、要約について二つの方法を紹介しておきます。

・**順要約**　文章の流れに沿って順番に要約する方法。

・**全体要約**　文章全体の内容を分析し、立論の構造を明らかにしながら要約する方法。

「順要約」は、文章をその順番に沿って要約するやり方です。文章の中で節や章ごとに読み進めながら、そこで何が一番大切な主張かを見抜いて文章に線を引いておき、それを最後にひとつながりの文章にするとうまくできます。全体の中であまり重要でなかったり、補足的であったりする部分は、要約からは外します。書籍であれば、それぞれの章を一パラグラフ程度にまとめるとよいでしょう。Ａ４判一〜二枚で一冊の本の内容をまとめるのです。

しかし順要約は、その書籍や論文の内容に踏み込んだ分析をしているとは言えません。それに対して、その論文や書籍の最も中心的な主張は何であるかを突き止め、それを支えている根拠が何であるかを分析しながら要約するのが「全体要約」です。全体要約は、一度文章全体を読んでみて、その内容を立論として分析して要約するやり方です。

立論とは、先に述べたように、根拠となる理由と証拠が提示してある主張のことです。「この町にはもうひとつ病院を建てるべきだ」というだけでは、意見ではあっても立論とは言えません。この意見が説得力を持つには、たとえば次のような根拠が必要です。「この町の患者の人口は増えており、現在の病院ではもう診療のキャパシティを超えている」「これがその来院患者の増加を示すグラフである。これが空きベッドを待っている患者の数のこの数年間の推移である」「もうひとつ病院を作れば、患者の増加に対応できる。これがその予想来院者数である」「患者の健康のためには、待たずに入院できた方がよい」「よってもうひとつ病院を建てるべきである」。これならば立論と言えます。

全体要約は、その論文や書籍の立論がどれだけ確かで信頼に足りるかを検討するのに非常に有効です。その文献の核となる部分を摑(つか)むことによって、自分のアイデアを得たり、アイデアを発展させたり、比較したりするのにヒントを得やすくなります。とりわけ重要な文献は、全体要約して、グループで共有すると優れた探究ができるでしょう。

第五章　プレゼンテーションの仕方

探究の学習で重要なことは、しっかりとしたアウトプットをすることです。「勉強」は自分のためにやるものかもしれません。しかし**「探究」は、みんなのために、自分だけではなく他の人の役に立つために、やるもの**です。だから、**探究の結果をみんなに知ってもらう必要がある**のです。

探究型の授業は、何かのテストをやってそれで何点取れましたといった、本人の知識獲得度をみるものではありません。自分の探究がどれくらいの評価に値するかは、まさしく探究した結果の報告、つまり、レポートやプレゼンテーションのよしあしで判断されます。成果物で評価されるというのは、大学では通常のことですが、今後は高校や中学でもそのような評価が導入されることでしょう。

この章では、主に学校や大学など教育機関で行われることを想定して、プレゼンテーションの仕方を説明します。

プレゼンテーションは、探究の最終報告としてのレポートを書いた後、その内容をクラスや学校の人たちに聞いてもらうために行うのがよいでしょう。しかし私が推奨するのは、最終報告のレポートを書く前にも、中間発表として行うことです。特に、後で述べるポスター発表を中間報告にして、最終報告をレポートで書くという方法がいいように思います。というのは、プレゼンテーション、とりわけポスター発表では、いろいろな人から自分の探究についてのアドバイスをもらうことができます。それによって、それまでの自分の探究でのよい点や足りない点、もっと追究すべき部分がわかってきて、最終報告に活かすことができるからです。

日本の教育ではしばしば書くことが重視され、口頭でのやり取り——たとえば、普通の授業でのディスカッションや口頭発表などは後回しになりがちです。ですが、実際の社会では、レポートを書くことは稀（まれ）であっても、口頭でディスカッションしたり、プレゼンテーションしたりすることは日常茶飯ではないでしょうか。口頭での議論を、哲学対話のように深めることが大切である一方で、ひとりないしグループでやや大人数の前で発表することもまた、非常に大切な機会です。

口頭発表のようなややフォーマルな形で、自分たちの探究の成果を、クラスメートと担当教員だけではなく、たとえば、他のクラスや学年の生徒と教師、さらに保護者や地域の人々や招聘(しょうへい)したゲストの前で披露することは探究の締めくくりとしてふさわしいものです。それらの人々としっかりと質疑応答を行うことは、とても有意義なことです。これまでの探究の成果を伝えて、これからの探究の課題を見つけることができるでしょう。

探究とは、自分の疑問に答え、多くの人にとって有益な真理を追求することです。それは共同作業で進めるべきであり、プレゼンテーションにおける質疑応答、対話はそのための最後の仕上げなのです。

1 プレゼンテーションとは何か

プレゼンテーションとは、複数の聞き手に、自分の探究の成果を口頭で発表することです。発表の後には、質疑応答が行われるのが通常です。

プレゼンテーションは、社会人になっても頻繁に行われるものです。企業で取引先に製品や企画を紹介する。自社製品を顧客にアピールする。公務員が公共事業を住民や関係者に説明する。教職員の研修会で授業実践の報告をする。社内で新規事業を説明する。同じく社内で研修や講習会を行う。実にさまざまな場所と機会でプレゼンテーションが行われます。ですから、高校や大学でそのやり方をよく学んでおく必要があります。

ここではクラスや学校などでの発表を想定して説明します。教育の一環として行われるプレゼンテーションでも、いろいろな種類があります。

まず、「どのような場で」「だれに話すのか」で区別されます。授業の一環として行われ、聴衆は先生といつものクラスメートの場合や、学校内・大学内での発表会で、参加者は学内者という場合もあるでしょう。もっとフォーマルに、一般の人に向けた公開の発表会でのプレゼンテーションもあります。公的であればあるほど、発表者と聴衆の間が親密ではなく、心理的な距離感が存在します。また同じクラス内でも中間報告的な発表と最終的な評価に関わる発表とではフォーマルさの度合いが異なります。

次に、内容の区別から言うと次のような種類があります。

・**報告**　授業で指定された課題（文献のまとめ、調査、実験観察）を発表します。
・**研究発表**　探究などの授業で自分の研究を発表します。中間報告として途中経過を発表する場合や最終報告のような最終的な成果を発表する場合があります。

先にも述べましたが、探究は、だれに向けて、何のためになされるものであるかを常に意識する必要があります。プレゼンテーションも同様です。そのプレゼンテーションが、だれに向けて、何のためになされるのかを考えて準備する必要があります。

さらにプレゼンテーションは、口頭で、聴衆と直接に対話する機会ですので、話す内容だけではなく、話し方や提示する資料、身振りなどの態度すべてを気にする必要があります。聴衆が聞きやすく、理解しやすく、質疑応答でも相手を満足させ、よい印象を与えるものにしなければなりません。フォーマルな場合にはとりわけそうです。いつ、どこで、聴衆はどういう人たちで、どのような会場で行われるのかを考えて、入念に準備する必要があります。

ただし、以下では、主に探究の授業での場合を想定して話を進めます。

2　プレゼンテーションの仕方

プレゼンテーションの仕方を、資料、構成、スライド作成、質疑応答、評価の点から説明します。

資料

プレゼンテーションは、口頭で発表し、最初から最後までただ話すだけでは聞き手も頭に入りません。そこで、資料を作成して、提示したり、配付したりして、聴衆が耳からだけではなく目からも情報が入るようにします。以下のような補助資料が挙げられます。

・**印刷資料**　レジュメ（ハンドアウト）は、全体の流れを追えるように、説明する項目を目次のように箇条書きにしたものです。口では伝えにくい図表、図版、グラフ、絵や写真を紙媒体で配付します。

・**動画**　ビデオやインターネットのストリーミング、テレビなどの動画を提示します。

・**黒板、ホワイトボード**　話しながら書くことで聞き手に理解しやすくさせます。聞き手にとってメモなど取りやすいなどの利点があります。

・**模型、実物**　実物や立体的な資料を提示します。

・**プレゼンテーションソフト**　PowerPoint や Keynote のようなソフトは視聴覚素材も取り込むことができて大変に便利です。

プレゼンテーションをしっかりやるには、できるだけプレゼンテーションソフトを使い、プロジェクタで投影しながら行った方がいいでしょう。聴衆にはわかりやすく、発表者にとっては発表の流れを作りやすいので大変に便利です。

内容の構成

内容は報告が研究発表か否かによって変わってきますが、研究発表であるならば、基本的にレポートの構成と変わりませんので、第六章を詳しくみてください。以下、研究発表の流れを簡潔に示します。

与えられた時間によって、配分を考えなければなりませんが、詳細な内容は配付物などで紹介して、明確に探究の動機と目的を示し、できるかぎりわかりやすく議論の流れを説明します。同じく、結論ははっきりとわかりやすく伝えます。プレゼンテーションの目的は、聴衆との質疑応答にあると言っても過言ではありません。質疑に時間を取れるように、自分たちが話す時間はしっかりと制限を守りましょう。プレゼンテーションの順序は以下の通りです。

①**アウトライン**　レポートにおける目次に当たります。全体の流れと要点を最初に説明すると聴衆はついて来やすいです。
②**序論**　探究（テーマ）の動機、今回のプレゼンの目的（どういう問題をどこまで話すのか）、それに対応する問い。
③**本論**　主要な主張を、根拠をあげて論理的・実証的に論証する。証拠となるデータや資料は配付資料あるいはプレゼンテーションソフトで投影する。

④結論と評価　今回の発表の結論（主張）、テーマとの関連で今回の発表の意義、今後の課題。

⑤質疑応答　聴衆と質疑応答をします。発表で聴衆からの感想や質問をもらうことができ、自分の探究にとって重要なヒントをもらえます。

スライドの作り方と使い方

プレゼンテーションでは、コンピュータソフトを使って発表するのが便利です。話の順番に沿ってスライドを作り、それを聴衆に見せながら、説明をします。

プレゼンテーションソフトには、図表、図版、グラフ、絵や写真を載せることはもちろん、動画を提示することもできます。ただし、聴衆の手元に紙媒体の資料があった方がわかりやすい場合がありますので、紙の資料と併用することも考えましょう。

スライドを作るときには次の点に注意しましょう。

・提示する順序をよく考えて、アウトラインを作る。

・一枚のスライドに載せる情報はできるだけ絞る。あまり多くを詰め込まない。
・文章を長くせずに、箇条書きにする。
・図や表を効果的に使う。字を大きく表示する。
・一枚あたりの説明時間は二〜三分ほど。
・使用した資料の出典を示す。

プレゼンテーションで一番大切なのは、話す内容を絞り込んで、伝えるべきことだけをしっかりと伝えることです。話す内容が多くて、早口になる、ただ原稿を読み上げるだけになる。これでは聞き手はわかりにくくなり、せっかく内容がよくても十分に伝わりません。

「内容を絞り込む」とは、自分の研究で一番大切な部分を切り出してくることなので、自分の探究の振り返りとしても大切です。内容を絞れば、自分としても覚えやすく、頭がスッキリして話すことができます。時間にも余裕ができて、ゆっくりと自信を持って話すことができます。

話すときには、スライドの方ばかりを見ずに、聴衆の方に向かって、だれかに話しかけるように話すと落ち着きます。この点だけはみんなにわかってほしいということを、自信を持って伝えましょう。

話す内容にはメリハリをつけます。自分の言葉でしっかりと話して伝える部分と、証拠や資料のように聞き手には手元でざっと目を通してくれればよい部分があります。その区別をして、端折(はしょ)ってよいところは「この証拠となるデータはこれです。お手元の資料にも載せてありますのでご覧になっておいてください」くらいに話して、サラッと流していい場合もあります。詳しく説明したい部分は、その逆に時間をとって話します。

プレゼンも事前に自分で何度も読むと、いろいろ不備が見えてくるものです。したがって、よいプレゼンテーションをするためには、結局のところ、十分に時間をかけて、丁寧に準備することに尽きるのです。内容を十分に精査して、何度か読み上げる練習をするといいでしょう。どのくらいのスピードで話せば、聞き取りやすいのか、一分間でどれくらいの分量の原稿を読めばいいのか、事前に練習しておきましょう。

プレゼンテーションの所要時間は、短いものでは質疑応答を入れて一〇～一五分程度になりますが、時間がとれる場合は、全体で三〇分あればかなりの内容の発表と質疑ができます。

大切な質疑応答

プレゼンテーションの後には、質疑応答を行います。質疑応答はプレゼンテーションの最も重要な部分だといって過言ではありません。

高校や大学での発表を含めて、学術的あるいは教育的なプレゼンテーションは、企業などでのプレゼンテーションとは決定的な違いがあります。それは、**学術や教育は真理を探究することに目的がある**ということです。教育的なプレゼンテーションは、自己主張の場ではなく、真理追求の場なのです。その場にいる人全員で、真理を追求するのだと考えると、それほど緊張しなくなるはずです。

自分の発表したことに対する質問やコメントに答えるのは、ときに難しいことがあります。質問者は、自分の探究の優れた点を言ってくれることもありますが、他方、自分の探究の足りない点や間違っている点を指摘したり、場合によっては、探究の方向性を変えなければならないようなコメントをくれたりします。

しかし、それは大切な探究の過程であり、探究の一部です。探究をひとりだけで行えば、アイデアに行き詰まったり、誤った方向に進んだり、大きな見落としをしたりするものです。他の人から指摘されてはじめて問題点に気がついたり、逆に、今よりもよいアイデアが生まれたりします。質問やコメントしてくれる人は、その意味で共同の探究者だと言ってよいのです。

このことは学会など学者同士の関係についても当てはまります。企業などの利害が関係してくる組織でのプレゼンテーションとは異なり、学会とは、よりよい業績を競争しながらも、共同で真理を探究する場所なのです。

高校や大学でのプレゼンでは、必要以上に緊張はせずに、自分のアイデアや主張を投げかけ、自分の足りないところに質疑応答でアドバイスをもらうのだという気持ちで臨んでください。とりわけ、探究の中間報告や中間発表ではなおさら、質疑応答で聴衆に聞きたいことを投げかけてみるくらいでいいのです。

あなたが発表の聞き手であるなら、遠慮せずに質問をしてください。質問とは、発表者と共同で真理を探究していくことなのだという心構えを忘れないでください。発表者と聴衆は、いわば、ひとつの製品を作り出している共同製作者なのです。発表者はその意味で仲間であり、共同研究者なのですから、生産的な質問をして、発表者がよい探究ができるよう助けるのです。

質問は難しく考える必要はありません。哲学対話での質問、「なぜですか」「どういう意味ですか」「証拠は何ですか」というシンプルな質問でいいのです。シンプルな質問ほど、発表者にとって考えるよい機会になるのです。

一番よくないのは、だれも質問しなかったり、一部の人たちだけがいつも質問したりすることです。そのために司会者は、「質問がある人は手をあげてください」と言って、数名の手が上がるまでしばらく待ち、それから順番に質問してもらうのがいいでしょう。

また、発表の主人公は、発表者です。質問する側が発表者の意見を引き出すのが質問であり、質問者が自己主張する場ではありません。自分の意見をダラダラと話すのはやめましょう。質問は短くまとめて、発表者に十分に答えてもらいます。自分の理解が正しいかどうか確かめるために単純に確認する質問でもいいですし、「私はあなたの意見に対してこう考えるのだが、どう思いますか」といった質問でもいいでしょう。ただし、発表者がイエスかノーで答えてしまえるような質問はあまり生産的ではありません。

質問への応答は、ごまかすことなく、しっかり考えて返事をします。質問が相手の誤解や理解不足に発していても、発表者は学ぶことがあります。そうした質問が出るということは、まだ自分の発表がわかりにくく、十分に整理されていなかったり、自分の思い込みで説明を省きすぎたりしているのです。

探究の目的は、最終的にだれかにこの探究を知ってもらうこと、この探究の主張を受け止めてもらうことです。そのためにも、自分の説明がその人たちに届くように、いろいろ人から質疑を受けた方がよいのです。質疑で応答できなかったことは、率直に「今はわかりませんので、次回お答えします」と言って自分の宿題にしましょう。あまりに多くの質問に答えられないと信頼をなくしますが、これまでの探究で調べられてこなかった部分、考え切れていなかった部分は、それをごまかす必要はありません。

なお、ときに質問やコメントの中には、まったく的外れだったり、自分の探究の目的からは外れていたりするものもあります。質問やコメントしてくれた誠意には感謝しつつ、それらの質問やコメントが自分の探究の目的や範囲から外れていることを伝えましょう。質問やコメントは、あくまで発表者が自分の探究を進める上での糧とするものですので、それに応じてしまってはかえって回り道になったり、方向性が変わってしまったりするようなものには、そのように率直に応答します。

発表の評価

発表が終わったあと、その発表のどこがよかったか、どの点に注意すればもっとよいものになったかを生徒・学生同士で相互評価させることは有益です。小さな評価用紙を配付し、そこに評価を書いてもらい、発表者にフィードバックすると次の発表はさらによいものになるでしょう。あるいは、質疑時間が足りなかった場合、言いそびれてしまった質問やコメントを書いてもらってもいいでしょう。

評価する点は以下の通りです。次回以降のプレゼンテーションのための参考意見として受け取りましょう。

・**内容**　テーマや問いが絞り込まれていて、要点を押さえた発表だったか。問いに明確に解答できていたかどうか。
・**構成**　発表の構成ができていたか。
・**情報と資料**　しっかりとした実証的な証拠を揃えていたか。
・**わかりやすさ**　スライドは読みやすかったか、資料はわかりやすかったか。話は理解しやすかったか。
・**質疑応答**　質疑にしっかりと応答し、誠実な態度で答えられたか。
・**態度**　誠実で責任感ある態度が取れたか。
・**時間**　制限時間を守れたか。

3　ポスター発表

高校や大学で行うのに、非常に優れた発表方法として、ポスター発表（セッション）を紹介します。この方法は、発表者が探究の成果をポスターにしてまとめて、会場の自分のスペースに貼り出し、参加者にプレゼンテーションを行い、質疑応答するものです。

一つの会場に、発表者それぞれに一定の場所が割り当てられ、そこにポスターを貼り出します。通常は、ボードやパーテーション、壁などがポスターを貼り出す場所になります。

割り当てられる大きさは、開催会場と発表者数にもよりますが、だいたいＡ０判（８４１㎜×１１８９㎜）かＡ１（５９４㎜×８４１㎜）判くらいの大きさのポスターを貼り出せるような大きさになります。新聞紙を見開き広げたよりも少し大きい程度でしょうか（写真参考）。

ポスターは、通常、Ａ０かＡ１判の大きな模造紙やソフトクロスに印刷して、会場の壁やパーテーションに貼り出します。しかし、もっと小さな紙に印刷したり、パソコンやタブレットに映し出したりなど、手間のかからない形でポスターを作れば、学校の通常の授業でもポスター発表を行えます。

ポスターを貼った場所に発表者は待機していて、訪問者に自分の研究内容を説明します。ポスターの内容を補足したり、説明の途中で質疑に答えたりしながら、訪問者が納得するまで議論をします。

会場を使用する一定時間を定めておいて、ポスター発表は会場全体で開始して、終了します。開催される時間は、通常は一〜二時間程度ですが、丸一日貼り出しっぱなしという場合もあります。高校の授業でやる場合には、一校時をまるまる使うとよいでしょう。

ポスターの内容は、先ほど述べたスライドのような形で作っておきます。大切なのは訪問した人とのコミュニケーションです。訪れるのは一度にせいぜい二〜三名ですので、話すのにそれほど緊張はしません。説明も足りない分を補足したり、繰り返したりと、やり

ポスター発表会場

直しも利きますし、話すこと自体を事前に練習する必要はありません。

ポスター発表は、学会でも通常の方法ですが、小学校でやったことのある人もいるかもしれませんし、学園祭などでもよく用いられる方法です。その意味で、だれにでもやりやすい、そして発表の成果が得やすい発表の方法なのです。

この発表方法を探究型の授業で行うのを強く勧めるのは次の二つの理由からです。

ひとつは、質疑応答が充実するからです。ポスターはそれほど準備に手間がかからず、緊張せずに説明できます。そして、訪問者とは対面でじっくり話ができ、それぞれのコメントや質問に時間をかけて応答できます。普通のプレゼンテーションですと、聴衆の数が多くなると質問やコメントに時間がかけられなくなりますが、ポスターでは十分に相手から反応をもらえます。さらに探究を進める上で、重要なヒントが訪問者とのやり取りの中から生まれることも少なくありません。

第二の理由は、一斉に発表できるからです。教室などでそれぞれの個人やグループが発表して、残りがみんな聞いている形を取ると、時間がとてもかかります。必然的にひとつの発表の持ち時間が短くなり、発表は早口になり、質疑応答の時間が減ってしまいますが、これは問題です。ポスターですと、五〇分授業なら、発表者が一五〜二〇名ずつにして二回に分けて行えば、無理なく全員発表できます。しっかりと質疑のできる時間が取れます。ぜひ、この方法を授業でも試してください。

先にも触れましたが、ポスター発表を探究の中間報告として行うと、自分の探究の優れた点や、その後の探究の課題やこれまでの探究の問題点が明らかになってきます。それらのアドバイスを活かして、最終報告に向かうことができます。

また、最終報告であるレポートを書いた後に、クラス全員、学年全員でポスター発表をすることもとても有意義です。他の人やグループがどのような探究をしたかを、ポスターを前にした質疑応答でしっかりと理解することができるからです。すでにレポートを書いているなら、それをポスターの形にすることは難しくありません。

最終報告としてのポスター発表も推奨しておきます。というのは、クラスや学年が違っても公開の発表としてやりやすいですし、時間も一定の時間内に参加すればよいので、学校の外から招聘したゲスト、地域の人々や保護者などを招いても気軽に参加してもらえるからです。ぜひ、学校でポスター発表を試してみてください。

第六章　レポートの書き方

探究の授業で大切なことは、自分たちの探究の成果を形にして残し、他の人たちや後輩たちに、その過程と結果を見てもらうことです。探究の成果が、だれかが何かをする時に役に立つこと、だれかの認識を改めること、知らなかったことを伝えることにつながれば、それは成功だと言えるでしょう。探究は知ってもらい、それで人の役に立たなければ本当の意義があるとは言えません。探究型の学習は、自分だけのためにする勉強とは違います。

探究にはうまくいく場合も失敗する場合もありますし、うまくいった場合にも反省すべき点があるのは当然です。そうした部分も含めて探究の過程を他の人に知ってもらい、フィードバックをもらって次の探究のために役立てるのです。探究の成果をレポートという文章の形で残すのはそのためです。

さて、探究型の授業での成果としてのレポートは、学術的な論文の形式で書かれなければなりません。高校生であろうと大学生であろうと、同じ構成形式に則り、論理性と実証性を備えた文章でなければなりません。そこで、以下に、学術的なレポートの書き方を説明します。

1 レポートとは何か

日本語で「レポート」といった場合には、複数の意味をもっています。ひとつは、文字通りに「報告（書）」という意味で、事実や情報をまとめて伝えることです。もうひとつは、授業の最後に出す「論文」という意味で、英語ではpaperとかessayと呼ばれます。ここで説明したいのは後者の意味でのレポートです。すなわち、授業の内容を踏まえた論文のことです。

では、論文とは何でしょうか。以下の四つの点を守っている文章を「論文」と呼ぶことができます。

（1）問題に解答し、主張をする

（2）根拠（理由と証拠）によって主張を論証する
（3）論文の構成を守る
（4）形式と書式を守る

それぞれ説明していきます。

（1）問題に解答し、それを主張する

報告書は、何かの事実を報告することが目的です。たとえば、「この市の税収はこの一〇年間でどう変化したか」という問いに対して、調査したうえで、これこれの変化がありましたと、数値と図表で解答するのが報告です。

これに対して、論文は、自分自身の主張をする文章です。自分の主張がないものは、いかなる意味でも論文とはいえません。探究の最終的なアウトプットとしてのレポートでは、自分の主張をすることが第一の目的です。

先に、探究する問いとして、「事実に関する問い」と「価値に関する問い」を区別し

ておきました（一〇四ページ）。主張についてもこれに対応して、「事実に関する主張」（「命題」とも言います）と「価値に関する主張」があります。

「事実に関する主張」とは、**これまで発見されていなかった事実、これまでの見解とは異なる事実、これまで日が当てられてこなかった事実、これまでの解釈を覆すような事実を提示**することです。これは、ただ事実を報告するだけではありません。新しい事実を報告することで、これまでの認識を変えることを目論んでいるのです。

筆者は、これまでの認識に対して疑問や問題意識を持っており、それを背景にして事実を調査して、調べた事実で自覚的に人々の認識を改めようとしているのです。したがって、これは、単なる事実や情報の報告ではなく、「事実に関する主張」なのです。それは自分が見いだした事実を価値づける作業でもあります。「この事実は知る価値がある」「この事実は新しい」「この事実はこれまでの思い込みや常識を変える」。このように、事実を知る人にとって価値あるものにすることが事実に関する主張なのです。自然科学は、事実について「主張する」学問だと言ってよいでしょう。

他方、「価値に関する主張」は、それが主張であることがはっきりしています。「この市は税収を増やすために、新しく企業を誘致すべきだ」というのは、**「すべき」という当為に関する主張**です。

ただし、この「価値に関する主張」もあまりに当たり前すぎては価値がありません。これまでの考え方や常識にはなかった価値、あるいは日の目を見てこなかった価値を主張することが大切です。この「これまでにない」「これまで注目されていなかった」ことを訴えることが、論文のオリジナリティです。ここに論文の価値があるのです。

これまでの日本では高校までの国語で、だれかの文章を理解させることはしても、それについての自分の主張を論述させることはあまりありませんでした。学校で何かの文章を読んで書かせるのは、感想文でした。感想は意見であっても、立論ではありません。これまでの大学の受験でもだれかの文章を解釈させることがせいぜいでした。

そうではなく、論文とは、これまでの人の主張を理解しながら、それに対して自分の主張を提案していくことです。主張するとは、自分の意見が正しく、価値があると述べることです。あるテーマと問いに関して、自分が考えたことや自分の解決案を述べ、それが正しいし、価値があるものだと言うことが主張です。

考えてみてください。あえて他人に対して自分の意見が正しいと言いたくなるのは、特別の場合です。「北海道は東京よりも北にある」ということをあえて主張しようとする人などいません。それは動かし難い事実であり、それに反対意見を主張する意味も価値もありません。

しかしたとえば、「冥王星は惑星だ」という主張をしようとする人はいます。なぜなら、冥王星は惑星ではない準惑星だと考える研究者が多いからです。それはつまり、冥王星は惑星だという考えに反対の人がたくさんいるということです。「〝ら〟抜き言葉を認めるべきだ」という意見も主張になりうるのは、「〝ら〟抜き言葉を正しい日本語として認めない」人も多いからです。

ここからわかるように、主張とはそれに反対する人、あるいは反対するかもしれない人がいるときになされるものです。言い換えれば、**論争がありうるところにこそ、主張があるのです。**

したがって、「こう言われているけれども、本当はそうではないのではないか」「いくつかの立場があるけれども、わたしはこれが正しいと思う」「みんな気がついていないけど、こういう考えもありうるのではないか」「これまで、こういうことはされてこなかったけれども、こうすべきではないだろうか」、こうしたことを見つけたときに主張は生まれるのであり、それこそがオリジナリティの問われるポイントでもあります。

ですから、論文を書く上で一番大切なのは、「自分はこのことについてはこう思う。そしてそれは正しいし、伝える価値があると思う」といった気持ちの生まれるテーマや問いを見つけることなのです。

探究の動機は、苦しみを減らし楽しいことを増やすためだと第二章で書きました。そのことは変わらないのですが、**あえて探究するからには、これまでのものよりもよいものを提案する必要がある**のです。これを探究したい、その成果をみんなに知ってほしい。書きたいという情熱を持てる動機を見つけることが論文を書く第一歩ですし、またそれが論文を書くうえで最も大切なことなのです。

ただし、「自分はこのことについてはこう思う。そしてそれは正しいと思う」と主張したいからといって、いつでも論文を書く動機になるとはかぎりません。たとえば、マンションの隣人に対して「子どもの遊ぶ声が大きくて迷惑だ」と言いたいとしましょう。

でもそれは、その隣人個人に向けて訴えればすむことですので、わざわざ論文として書く必要はありません。

しかしそれが「子どもの遊ぶ声は（一般に）迷惑行為だ」という主張であれば、話は別になります。この主張を向ける相手は、「小さな子どもがいる家族すべて」になるでしょうし、他の人たちにもこの考えを聞いてほしいはずです。これは（この主張が正しいかどうかは別にして）十分に論文のテーマになりえます。

論文は自分の主張を、特定の個人や集団ではなく、広い範囲の人々、一般の人々に聞いてほしいという動機で書かれなければなりません。論文では、一般に向かって訴えたい主張を見つけることが最も重要です。

そして、主張するのにあたって常に意識しなければならないのは、その主張がだれに向けられた主張で、どのような目的でなされるものであるのか、です。「この森を世界遺産として申請しよう」という主張の場合、それはその森のある県の一般市民に向けられたものなのか、それとも国の機関や政治家に向けられたものなのか、それとも、環境に関心のある若者に向けたものであるのか、主張を向ける対象によって書き方や訴える内容が異なってきますし、そのように書かねばなりません。

論文は客観的な根拠に基づいて書かれなければなりませんが、他方で、ひとつの文章として、だれに読んでほしいのかを意識する必要があります。この点をはっきり自覚しておかないと、論文の内容も焦点がぼやけたものになってしまいます。

(2) 理由と証拠によって主張を論証する

しかし、自分の意見をただ正しいと言い張っても、そこに根拠がなければ、だれも納得しません。根拠とは、意見を支える前提である理由と、意見を事実として裏打ちするデータである証拠のことです。

たとえば、「この森を世界遺産として申請しよう」というのは主張になりえます。というのは、そうは思わない人がいるからです。それらの人々を前にして、ただ「申請しましょう」といっても受け入れないでしょうし、何の効果もありません。相手は、なぜそうする必要があるのかと聞いてくるでしょう。そのときの「なぜ」に対する答えが根拠です。

たとえば、「世界遺産に登録できれば、この森の自然を守っていける」は、申請すべきだという主張を支える理由になります。しかし、これだけではまだ相手は納得しないかもしれません。本当にそれで効果があるのかと聞いてくるかもしれません。この疑問に対して答えるには、世界遺産への登録が自然保護に役立つことを示すデータが必要です。そのデータは信用のおけるものでなくてはなりません。科学者たちがきちんと調べたデータを十分な量で示して、はじめて相手も登録が有効であることを事実と認めるでしょう。

先にも述べましたが、自分の主張の正しさを、根拠を示しながら述べることを「立論」といいます。論文とは、立論がなされた文章のことをいいます。論文とは、自分の主張を、根拠、すなわち、理由と証拠があるかどうかひとつひとつ確かめながら論述するものです。その根拠は、信頼のおける情報（学術論文・書籍、公的機関の出す資料など）や、学会で認められている確かな方法に基づいた調査あるいは実験観察に基づいていなければなりません。

（3）論文の構成を守る

論文は、自由な表現である小説やエッセイ（随筆）とは異なり、守るべき構成の仕方があります。以下にそれを説明します。

論文は一定の構成形式にのっとって書かれなければなりません。その形式を踏まえないものは、どんなに内容が素晴らしくても、論文とは呼べません。また、この形式は、論文を読み手にとって理解しやすくするためのものであり、また書き手にとっても書きやすくするためのものでもあります。

構成の仕方といってもそれほど複雑なものではありません。学問分野によってやや形は異なりますが、最も一般的な論文の構成形式は、「序論─本論─結論」と三つの部分に内容を分けることです。これは、問いから始まり、その問いに自分で解答を与える過程だということです。問いがあり、答えが根拠を持って与えられている文章が、論文なのです。

論文は自分の主張をするものです。それが「結論」になります。「序論」では、なぜそのような主張をしたいのか、その動機と問題意識を示す場所です。序論はいわば読者に問いかけをするところです。「わたしはこういうことに関して疑問を感じています。皆さんもそう思われませんか」と読者に自分と同じ問題や問いを持ってもらう場所です。テーマと問いを読者に共有してもらい、以後の自分の文章の展開についてきてもらうものです。

そして、「本論」は、自分の主張を根拠、つまり理由と証拠をもって論証していく場所です。本論の書き方は比較的自由に任されていますが、先に述べたように、最終的な結論に至るように、正しい理由と確かな証拠（データ）を提示するのはもちろん、論文には常に読み手がいることを意識しましょう。

文章を読んでいると人は、「これはどうなのかな」とか、「これは違うんじゃないかな」といった疑問や反論を持ちながら読むものです。あるいは、「こっちの考え方の方がよくないかな」とか別の考え（異論）や他の案を思いついたりするものです。そうした疑問や反論、代替案、異論を想定して、それに答えることで自分の主張に説得力を増すことが必要です。

この点に関して重要なのは、自分の主張に対する疑問や反論、代替案、異論は、自分自身で思いつくには限界があるものです。論文を書く途中の過程で、他の人と話し合って検討する機会を持ち、いろいろな角度から議論や反論を考えてもらいましょう。他の人からのさまざまな質問や意見に応えて、その内容を論文に組み込むのです。

そして結論では、自分では少しクドく感じても、これまでの論旨の流れを、つまり問いから論証までを振り返り要約します。読者は面倒くさがりだといつも想定しておきましょう。自分の論文のページをめくり返して、前を確認してはくれません。読み進めて全体がわかるように、結論部の最初の部分で要約をしましょう。

そして、それに続いて、最初に立てた問いに明確に解答を与えましょう。これが結論です。そして最後に、この論文で論じ残したこと、分量や時間の都合で完結できなかったことを述べて（これを「評価」といいます）論を閉じます。結論とは、これまでの論旨の流れを押さえて結論するだけです。結論部で新しい議論や論証を展開してはいけません。

以上の論文の流れを簡単に言えば、序論では問いを立て、結論でその問いに対する答え（主張）を与える。本論はそれに至る論証の過程です。もう少しくだけた比喩を使うと、論文は推理小説みたいな形式になっています。最初に事件（問い）が生じます。探偵は論理的に推理して、証拠を集めて、最後に事件を解決（答え＝主張）するのです。解決編で新しい事実を出してはいけません。結論は振り返るだけです。

序論と本論と結論で、それぞれ書くべきことをまとめると以下のようになります。

【例：タイトル「X町の観光渋滞の解消方法」】

序論……全体の分量の一〇～一五％

①論文のテーマと書く動機を示す

・テーマ「この町の観光の問題（オーバーツーリズム）」

・動機「この市では観光客が増加しているが、それによってX町の住民が住みにくくなってしまっている。観光客にとっても地域住民にとってもよい観光都市にしたい」

②具体的な問いを出す

「その中で特に問題なのは、観光客増加による渋滞である。観光用のバスや自動車によって生じる交通渋滞をどうすればよいか」
③論文全体の流れを予告する
「第一章では、近年の観光車両による渋滞の発生を調査結果から説明する。第二章では、同様の問題を抱えている他の地域を紹介し、どのように対処しているかを説明する。第三章では、これを緩和する三つの案とそのメリット・デメリットを提示する。第四章では、この案の中で、この町で実現可能で、最優先すべき案を提案する」
④結論を予告する
「第五章では結論として……。市街に大きな駐車場を作り、そこに観光用車両を駐車させるようにする」

本論……全体の分量の七〇～八〇％
①根拠を立てて、立論する
「本市の観光客増加による交通渋滞は深刻である。それにより本X町にも大きな影響が出ている。データとして、NEXCOの発表によれば、……」

「日本の他の市でも同じような交通渋滞が発生している。観光庁の報告によれば……」

「渋滞の回避には、これまで三つの方法があり、それをY市、Z市の方法を参考にして説明してみると……」

「以上を考えると、三つの方法のうち、A案とB案の組み合わせが最善だと考える」
②反論や疑問に答える
「A案については、費用が嵩んで、本市では予算上難しいとの意見があるが、……」

「B案の方法では、観光客が減ってしまうのではないかとの疑問があるが、……」
③対抗案を検討する
「C案を中心にした方法もあり得るが、その場合には次のようなデメリットに対処する必要がある。……」

結論……全体の分量の一〇～一五％
①全体を要約する
「これまで本論では、観光客増加による渋滞が地域住民の生活道路の交通を圧迫し、通

勤・通学に支障が生じていることから、観光用のバスや自動車によって生じる交通渋滞をどうすればよいかという問いを立てて、これに解答を与えることを試みた」
②結論を提示する
「以上の考察から、本論ではA案とB案を組み合わせることで、観光用車両の市内への駐車を制限し、渋滞を緩和できると主張する。この案は、予算的にも実行可能で、……」
③評価する
「本論では、A案とB案によって生じる予算を、他市で実施されている類似の例から算出したが、より詳細な予算については、さらに具体的に試算する必要があったが、調査時間の関係でこれができなかった。これは今後の課題となる。また……」

(4) 形式と書式を守る

論文は以上のような内容でまとめます。ただこれまで述べたのは、本文の内容の組み立て方です。それを、全体として以下のような形式に組み込みます。

①**表題部**　氏名（学年、クラスなど）、論文タイトル（ある場合には副題も）、提出日。

②**目次**　目次では、目次自体も含めて、文中のすべての項目に番号と小見出しをつけて、そのはじまるページ数をつけます。卒業論文のように長い論文では必要ですが、各授業で提出する論文には不要です。

③**本文**　序論、本論、結論。

④**注**　脚注か後注にします。出典の注は本文に組み込む。

⑤**付録**　本文中に組み込めなかった資料やデータ（実験結果、社会調査結果など）、図・グラフ・表・画像資料などを入れます。かならずつける必要はありません。

⑥**文献表**　レポートではかならずつけます。

⑦**謝辞**　調査や論文執筆の際に協力してくれた個人や団体に謝意を表します。事前に謝辞に名前を載せてよいか、許可を得ておきます。

以上の形式を守ってはじめて論文ということができます。さらに以下のような書式に気をつけましょう。

・表紙をつけるのか、表題部の書き方は決められているのか。
・縦書きか、横書きか。
・ページ番号を入れる。
・字数を本文の最後に入れる。定められた字数を守ります。字数には参考文献表や付録の部分は入るのかどうかを確認しましょう。字数は「〇〇文字程度」と言われたら、プラスマイナス一〇%の範囲にとどめ、「〇〇文字以内」と言われたら、九〇〜一〇〇%の範囲で収めます。
・参考文献表をきちんとつける。

こうした基本的な形式と書式に従って書くやり方を身につけておきます。高校生のときにこれができるようになっていると、大学に入ってから、大学の知的資源を有効に使うことができるようになります。

2　レポートの倫理

レポートを書くときに最も大切にしなければいけないルールは、情報に関わる倫理的なルールです。これを「情報倫理」といいます。情報倫理とは、「情報化社会において、他人の権利との衝突を避けるために、各人が守るべき最低限のルール」のことです。

情報倫理は、プライバシーや著作権、知的財産権にかかわります。これはネット上の著作物にも当てはまります。倫理はあらゆることに優先され、主に以下のようなルールがありますので、十分に留意してください。

・**個人の誹謗中傷**　これはもっての他です。根拠のある批判と誹謗中傷はまったく別のことです。

・**個人情報の保護**　調査などで知り得た個人の情報は、本人の同意なく公開できません。同意は基本的に文書で依頼し、文書で許諾をもらいます。

・**剽窃の禁止**　他人の著作物を許可なく利用してはいけません。

・**自己剽窃も禁止**　自己剽窃とは、自分が以前に発表した文章やデータ、その一部を、以前に発表したことを示さずに、再発表することです。

・**知的所有権の保護**　知的所有権には、著作権、出版権、版面権（著作などの複写・複製に制限を与える権利）があり、著作権は出版物のみならず、創作されたあらゆるものに認められます。著作権は、それが創作された時点で生じます。著作権は財産権であり、それへの侵害は故意過失を問わず法的罰則の対象となります。したがって、無断引用は犯罪です。

他人の著作物を利用するときには注意がいります。著作物を利用するには本来、その本人の許諾が必要です。ただし、著作権法第三二条では著者の許諾なく、著作物を利用できる場合を定めています。

ひとつは、公表された著作物は、引用して利用できることです。また、国や地方公共団体の機関または独立行政法人が一般に周知させることを目的として作成した著作物には基本的に許諾がいりません。公表された著作物、たとえば、出版されている書籍や論文、新聞、雑誌、ウェブ上で公開されている情報は、いちいち著作者の許諾を得ずとも、引用して利用できるのです。ただし、引用するには、以下の二つの条件がクリアされている必要があります。

・引用部分の直後に出典を示し、引用する側の著作物と引用される側の著作物とが明瞭に区別できること。
・引用する側の著作物が「主」で、引用される側の著作物が「従」といえること。

知的所有権を保護するには、自分自身で書いたものと他人から借りてきたものをはっきり区別することが肝要です。後者についてはルールにしたがってきちんと引用し、その引用元（典拠）をはっきりと示さねばなりません。そしてその引用部分が大きな分量になってはいけません。

現在の私たちはネットからの情報なしでは、学術的な作業が成り立たないほど、コンピュータを使ったデジタル情報に依拠しています。インターネットに関しても、著作権や利用される側のプライバシーの保護、情報の信頼性などさまざまな情報倫理上の問題が存在します。

日本も含めた多くの国の法律では、作品ができると同時に著作権が発生するとされており、それはネット上の著作物も同様です。ネットで容易にアクセスできる情報であっても、内容を無断で利用することを禁じている場合も少なくありません。自由に閲覧できる論文やデータも、利用するときには出版社の許可が必要とされることがありますので、注意する必要があります。利用できるネット資料であっても、紙媒体と同じく、しっかりと出典を示さなければなりません。

一方で、ネットでは、学術的な体裁をもった記事や論文でも、査読を受けていなかったり、公的な審査を受けていなかったりと、信頼性に欠けるものも少なくありません。意図的なフェイク情報が混じっていることもありますので、レポートの資料として使うときには十分に気をつけてください。インターネットはだれでもが投稿できる自由な媒体であるために、利用する側が情報の信頼度を読み解かなければなりません。

3　論文を相互に評価する

レポートや論文は自分だけで書くものではなく、最終的に提出する前に他の人に読んでもらうものです。先生や同輩からコメントや質問をもらい、それらに応じて論文を書き直していき、さらによいものにしていきます。時間との勝負ですが、何度もコメントをもらえば、それだけよいものにできるでしょう。

論文を読んでもらうことを「査読」といいますが、査読は先生によるだけではなく、生徒や学生同士で行います。それを生徒、学生の「相互評価」といいますが、これは教育的にも非常に有効な方法です。というのも、教師がどのような基準に立って、どのような観点から自分たちのレポートや論文を読んで、評価しているかを実際に理解することができるからです。

評価するための基準となる「ルーブリック」を以下に示します。ルーブリックとは、学習の達成度を複数の観点から評価するために用いられる表です。この表を埋める形で、互いに論文の出来を、相互に評価してみましょう。同じ探究をしているグループで評価しあってもいいですが、別の探究をしているグループの人に評価してもらうと、自分たちとは少し異なった角度から読んでもらえるので、これも有益です。

論文をコピーして三名くらいで相互に読み合って査読し合うのもいい方法です。ルーブリックを埋めるだけではなく、レポートに直接に赤ペンで短いコメントをつけて、質問がある点、意見がある点、また、よくできている点と改善した方がよい点を指摘してあげましょう。

ただし査読は、相手をただ「何点だ」などとランキングをつけるためのものでは決してありません。査読者は、ある意味では共同執筆者であり、執筆者の考えや個性を活かしながら、それを読みやすく理解しやすく、論理と実証が正しく行われ、レポートのよい特徴が際立つようにアドバイスしてあげましょう。

こうした相互評価はレポートの最終提出の前に行います。それだけではなく、中間発表としてポスター発表をして相互に評価するとさらによいでしょう。そこでのアドバイスは、最終レポートにも活きてきます。以下のルーブリックを参考にしながら、相互に評価してみてください。

	可	不可	不正
執筆と情報の倫理	剽窃や無断引用がない／情報倫理に則っている	剽窃や無断引用はないが、引用が全体の半分を超えている／情報倫理には則っている	剽窃や無断引用がある／情報倫理に反している

	2点	1点	0点
論文構成	論文の構成（序論、本論、結論）が正しくできている／序論、本論、結論のそれぞれで書かれるべきことが書かれている／表題部や参考文献表、注も指定通りに正しく書かれている	論文の構成は正しくできているが、序論、本論、結論のそれぞれで書かれるべきことで抜けている部分がある／表題部や参考文献表、注の配置にやや不備がある	論文の構成ができていない／序論、本論、結論のそれぞれで書かれるべき重要なことが抜けている／表題部や参考文献表、注の配置に大きな不備がある
形式	正しく正確に引用されている／引用の分量が全体の4分の1未満／文献表が正しく作れている／字数が守られている	引用に不正確な部分がある／引用の分量が全体の4分の1を超えている／文献表にやや乱れが見られる／字数は守られている	引用が不正確である／引用の分量が全体の3分の1を超えている／文献表が乱れている／字数が守られていない

	2点	1点	0点
立論	用語の意味や定義が明快である／理由や証拠が正しく主張を支えている／疑問や反論、代替案が検討されている	用語の意味や定義がもうひとつ明快でない／理由や証拠は示されているが、十分ではない／疑問や反論、代替案が検討されているが、十分ではない	用語の意味や定義がなされていない／理由や証拠が示されていない／疑問や反論、代替案は検討されていない
問題と解答	テーマがよく絞り込めていて、何を問題としているのか明確だった。そしてその問題に対する解答（結論）もはっきり導き出せていた	テーマはよく絞り込めていたが、問題に対する解答（結論）が明確ではない。または問題そのものが曖昧である	テーマが曖昧で、けっきょく何を問題としているのかわからなかった。結論が示されていない
論理性と整合性	立論と理由・証拠が論理的に結びついていた／節と節、章と章同士の関係が明示されていた／論旨に一貫性がある	立論と理由・証拠のあいだに論理的に飛躍のある箇所があった／節と節、章と章同士の関係がわかりにくい箇所がある／論旨が追いにくい箇所がある	立論と理由・証拠のあいだに論理の飛躍が目立つ／節と節、章と章同士の関係がバラバラでつながりがない／論旨に一貫性がない
実証性	使われている情報は信頼できるものであり、最新のものであった	使われている情報はかならずしも信頼できるものではなかった、あるいは最新のものではなかった	使われている情報が信頼できず、またいつのものかもわからない
独創性	他で見られない新しい発想がある／自分独自の問題意識がある	かならずしも新しい発想はないが、自分の考えで書けている	どこかで見たような内容で、自分の考えが表れていない
表現面	読みやすく、よく練られた文章である	読みにくい箇所があり、もう少し推敲が必要である	読みにくく、文章が推敲されていない／誤字脱字も多い

論文相互評価ルーブリック

項目を説明しますと、まず最も重要なのは、「執筆と情報の倫理」です。これは、レポート・論文としての出来栄えがどうかという以前の問題です。執筆と情報倫理に抵触した場合には、学校の内外で懲罰の対象となります。

次に、レポートを評価するときに一番の基本となるのは、「論文構成」と「形式」です。この二点は、具体的に内容を問う前のレポートが、きちんとレポートの体裁になっているかという外枠の部分に関わってきます。ここまでが、いわばそのレポートが合格かどうか、という基準です。

そして、ようやく内容面での評価になります。「立論」「問題と解答」「論理性と整合性」「実証性」は、レポートの立論の論理性と実証性を見るポイントです。

そして、「独創性」は、ある意味でレポートの「魂」と呼べるような部分です。論文構成ができていて、論理性や実証性が満足できるものであっても、執筆者独自の新しさが表現できていなければ、レポートとしての価値は非常に下がってしまうでしょう。逆に素晴らしい独創性が感じられるレポートは、非常に評価が高くなるものです。最後の「表現面」は、文章としての巧拙を見るポイントです。

4　よいレポートとは何か

よいレポートとは何でしょうか。それは読み手にとって、有益な知識を与える文章です。読み手にとって有益であるためには、読み手の関心を引き込むような興味深いテーマと問いがあったり、読み手にとって重要な利害が関係するテーマと問いがなければなりません。とりわけ、それまで読み手が気づいていなかったことに着目したレポートは、読み手の虚をつき、強い関心を引くことでしょう。

そして、よいレポートは読み手にとってわかりやすいものでなければなりません。わかりやすいレポートは、まず目的がはっきりしています。何が探究するテーマであり、何が中心的な問いであるのか、とても明確です。わかりやすいレポートは、構成がしっかりしています。全体の筋が追いやすく、今全体のどのへんを読んでいるのかがはっきりしています。またわかりやすいということは、文章と文章のつながりが論理的で、ステップを踏んで説明されていることです（コラム3）。

よいレポートは読み手にとって説得力のある文章です。説得力を担っているのは、実証です。しっかりした調査や実験観察に基づいて実証されていて、その結果に疑う余地がないものです。実証の手続きや過程も明確に後追いすることができます。価値や当為に関する主張であれば、さまざまな観点が考慮されて、比較検討された上で、結論されています。

よいレポートは、読み手にとって結論に発見があるものです。結論で主張が明確になされていて、理解がしやすい。しかしその結論は、ありきたりの漠然とした主張ではなく、読み手を、新しい何かに気がつかせ、新しいアイデアを得ることができ、新しい考え方をさせてくれるようなものです。逆に悪いレポートとは、読み手にとって、関心が持てない、わかりにくい、説得力がなく、何も新しいことを見いだせないレポートのことです。

コラム3　論理的な文章を書くには

九三ページのコラム1で述べたように、論理とは正しい推論のことです。「論理的」と評価される文章とは、文と文とが適切につながっている文章のことです。文章の流れが論理的かどうかは、それぞれの文の冒頭に接続詞をつけてみるとわかります。接続詞は、大きく言うと、「順接」と「逆接」に分けられます。順接とは、先の主張を保持し、それを踏まえて次の主張がなされる接続関係のことです。逆説とは、議論の流れを変え、それまでの主張を修正・制限したり、対比的に別の主張を導入したりする接続関係のことです。

日本語でよく使う接続詞は、次のページのように分類できます。これらを適切に使いながら文章を書くと、論理的な文のつながりができます。

順接	付加	主張を付け加える場合	しかも、さらに、なお、かつ、むしろ、そのうえ
	解説	それまでの内容を要約、詳述、言い換えたりする場合	すなわち、つまり、要するに、言い換えれば
	論証	理由と帰結の関係	なぜなら、というのも、その理由は、よって、したがって、それゆえ、だから、〜ので、〜から
	例示	具体例による解説あるいは論証	たとえば、その例として、具体的には

逆説	転換	ある主張の後に、それに対立する主張に乗り換わるような場合	だが、しかし、ところが、けれども、にもかかわらず
	制限	前の主張に制限を加える場合	ただし、もっとも、だが、しかし、とはいえ
	対比	前の主張とつき比べる場合	一方、他方、それに対して、ところで、反対に

5　注と参考文献表の付け方

先に述べた通りに、レポートでは、参考にした文献や資料、ウェブサイトなどがあるときには、かならず注をつけて、出典を示さねばなりません。出典の注の目的は、第一に、著作権を保護するためのものです。しかし同時に、出典を示すことにより、レポートの内容がどのような裏付けを持っているかを明らかにするためでもあります。出典をたどることで、読者はそのレポートの証拠が確かであるかどうか、どこから発想を得ているか、その跡付けをすることができます。高校や大学で提出するレポートには、必ず注と参考文献表をつけましょう。

以下では、注と参考文献表の作り方を説明します。

注とは何か、どのような場合につけるのか

注（annotation）とは、文章の特定の部分について補足的な情報を与えるためのものです。本文からは切り離されて書かれているのが特徴です。注は、以下の目的でつけます。

①出典の提示　何かの資料（文献、図表、統計、視聴覚資料など）を参照した場合の出典を示す。

②補足説明　本文の文章や事項の理解に役立つ補足的な説明やコメントをする場合。

本書では、この二つの注はつけ方を分けることを推奨します。すなわち、前者の出典に関しては「挿入注」を用いて、後者の補足説明に関しては「脚注」や「傍注」、あるいは「後注」を用いるやり方です。

「挿入注」とは、本文の情報を要する箇所のすぐそば（通常、すぐ後）につけられる注です。本文中に挿入されているのでこう呼びます。「脚注」「傍注」とはページの下部か端に、本文とは分離されて付けられている注です。本文中には、情報を要する箇所には番号や記号が付されていて、その番号に対応した注欄が下部ないし端にあります。「後注」とは、本文の一区切り（全文、章、節）の終わりにつける注です。本文中では脚注と同じく情報を要する箇所には番号や記号が付されています。

補足説明は、脚注を使うことを勧めます。ワープロには「参照設定」を使うと自動的に脚注がつく機能がついていますので、それを使えば簡単です。本文に入れてしまうと論述の流れを阻害してしまうような、しかし必要に思われる情報、特に説明やコメントは後注にします。

出典注

出典のための注は、今述べたように、挿入注を用いることを推奨します。つけるのが非常に簡単で、読者にもわかりやすいので、一般的に用いられています。つけ方としては、論文の末尾に文献表（後で説明）をつけ、それに対応させた簡略な注記を本文中に挿入します。

引用の仕方

引用とは、著作物から、そのままの形で内容を引くことです。以下のことに注意してください。

・引用箇所は、カギカッコ（「　」）に入れます。
・原典から正確に引用します。文章を変えてはいけません。
・著者の主張の趣旨から外れて引用してはいけません。
・途中を省略したい場合には、三点リーダー（…）を入れます。
・あまり長くならないようにします。一カ所を三行から五行にしましょう。

（例）
「当初は、富裕層・男性・白人・文化的マジョリティ（多数派）にのみ認められていた人権は、徐々に広い範囲の人びとにも認められていく。それまで社会の周辺や外部へと追いやられ、抑圧されてきた人びとを解放することが、人権の発展の歴史である」（河野 二〇一一、四五）。

参考文献表の対応箇所：

河野哲也、二〇一一、『道徳を問い直す：リベラリズムと教育のゆくえ』、ちくま新書。

参考の仕方

・参考とは、著作物の内容を自分なりに要約して引くことです。
・内容を改変したり、偏って要約したりしてはなりません。

（例）

近年の教育や福祉の考え方によれば、元々、環境科学などで使われていたレジリエンス（回復力）という概念は、障害を持った人や子どもの教育や福祉の分野にも応用可能であるという（河野二〇一四、二〇四―二〇五）。

参考文献表の対応箇所：
河野哲也、二〇一四、『境界の現象学：始原の海から流体の存在論へ』、筑摩選書。

この表記方式では、「著者（編者）発行年、参照ページ」を本文中に組み入れ、参考・引用文献が複数あるときはセミコロン（；）でつなげます。

参考文献表の作り方

参考文献表とは、利用した文献や資料に関する書誌情報の一覧のことです。文献表は、レポートやプレゼンテーションではかならず作りましょう。参考文献表の作り方は、分野によってさまざまですが、どの分野であっても、その分野の作り方の規則を守る必要があります。

参考文献表は、著作権を擁護するためのものでもあります。権利に関わるような、載せるべき以下の情報をかならず載せるようにします。

・書籍の場合

著者〔編者〕、『著書名』、〔訳者名〔翻訳の場合〕〕、出版社、出版年。

・論文の場合

執筆者名、論文名、〔訳者名、〕掲載雑誌名、巻号数、出版年、掲載ページ。

それぞれの項目で注意すべきことは以下になります。

①著者名他

・敬称は不要。

・共著や共編著の場合、三名までの場合は全員の氏名を書き、四名以上は最初の一名を書き、残りは「他」と書きます。

・執筆者が複数いる刊行物(アンソロジー)の場合は、編者名のみ書きます。

・監修者と編者がいれば、「――監修、――編」とします。

②刊行年

・翻訳書の場合、オリジナルの刊行年を入れるときは、[ ]で括って原著者のすぐ後に入れます。

・ひとりの著者が同じ年に複数の著作・論文を書いているときは、年数の後にa、b、

cなどの区別符号をつけておきます。たとえば、河野哲也(一九九七a)——

③書名

・単行本名や雑誌名は二重カギ括弧(『——』)、論文名や新聞・雑誌の記事タイトルは一重カギ括弧(「——」)にします。

・副題もコロン(:)かダーシ(—)で本題とつなげて、かかさず書きます。

④発行所名　出版社名を記します。

⑤掲載ページ　雑誌論文やアンソロジーの場合、掲載ページを入れます。

⑥オンラインでの書籍・ジャーナルの場合には、右記の情報に加えて、アドレスとアクセスした日を入れておきます。

表記法の実例は以下を参考にしてください。

①書籍の場合

著者名［翻訳などの場合、オリジナルの刊行年］(刊行年)『書名』(巻数)〔訳者名、〕発行所名。

（例）

・岩崎育夫（二〇一七）『入門 東南アジア近現代史』講談社現代新書。

・カスタネダ、C［一九六九］（二〇一二）『ドンファンの教え』真崎義博訳、太田出版。

・秋道智彌・角南篤編著（二〇一九）『日本人が魚を食べ続けるために』（海とヒトの関係学1）西日本出版社。

②雑誌論文の場合

執筆者名［翻訳などの場合、オリジナルの刊行年］（刊行年）「論文・記事名」〔訳者名〕『雑誌・新聞名』巻号数：掲載ページ。

（例）

・河野哲也他（二〇一一）「医療事故削減教育プログラムの作成とその効果：所属組織の倫理性の認知が医療事故被害者への態度に及ぼす影響」『日本経営倫理学会誌』一八巻：八九―一〇一。

・ストーン、C〔一九七二〕（一九九〇）「樹木の当事者適格：自然物の法的権利について」岡嵜修・山田敏雄訳、『現代思想』一八巻：五八―九八。
・想田和弘（二〇二〇）「『言論の自由』すでに実害」（オピニオン）『朝日新聞』二〇二〇年一〇月二一日（朝刊九面）。

③アンソロジー所収の論文の場合
執筆者名〔翻訳などの場合、オリジナルの刊行年〕（刊行年）「論文・記事名」〔訳者名、〕『書名』〔巻数〕、編者名、〔訳者名、〕発行所名：掲載ページ。

（例）
・阿部治（二〇一七a）「地域をつくる人を育てるESD」『ESDの地域創生力：持続可能な社会づくり・人づくり9つの実践』阿部治編、合同出版：一〇―二五。
・デリダ、J〔一九八六〕（一九八九）「ネルソン・マンデラの感嘆――あるいは反省＝反射の法則」増田一夫訳、『この男この国――ネルソン・マンデラに捧（ささ）げられた14のオマージュ』ジャック・デリダ他著、鵜飼哲他訳、ユニテ。

④コンピュータ・ネットワークからの資料（電子ジャーナル、オンライン新聞・週刊誌、ネット上の電子テキストなど）の場合

著者名（刊行年）「論文・記事名」『雑誌・新聞名』巻号数、掲載ページ、アドレス（アクセスした日）。

（例）

・河野哲也（二〇一九）「まちと自然の適切な関係：自然の影を暗くしすぎないこと」『立教大学教育学科研究年報』六二号、一四七―一五四、https://rikkyo.repo.nii.ac.jp/?action=pages_view_main&active_action=repository_view_main_item_detail&item_id=17693&item_no=1&page_id=13&block_id=49（2020/10/20）。

あとがきと提案

以上が、本書で提案する「探究の時間」の目的と方法です。

高校や大学の授業で、本書を参考にして、真正の学習を実施していただけるなら、筆者としては大変に嬉（うれ）しく思います。また、小学校の「総合的な学習」のためのヒントになれば幸いです。

最後にあとがきとして、学校の教員や管理職、教育行政の方たちに向けて、博士課程の院生、ポスドクの採用について触れておきたいと思います。

日本は「低学歴社会」になりつつあると警鐘を鳴らす学者たちがいます。多くの先進国では、人文社会科学系でも修士課程や博士課程修了の割合が高まり、それらの人たちが研究職ばかりではなく、一般企業の従業員や公務員として採用されています。日本では、自然科学系のエンジニア職には大学院卒が多く含まれています。たとえば、メーカーの開発部では、修士はもちろん、博士号を持っているエンジニアが多数いるものです。

しかし、人文社会科学系では大学院に進学する割合は低いままです。修士課程はともかく、博士課程を終えた人にとって、一般企業のポストが大きく開かれているとは言えません。この傾向は、そのまま日本社会の特徴になっていないでしょうか。つまり、エンジニアリングや物づくりには優れていても、社会全体としてはいまだに古臭く、昔通りのままから変化していないのではないでしょうか。男女平等指数の低さは、その一つの表れです。

修めた学業に比例したポストや給料を得られるとも言えません。それは日本社会が、高学歴者をうまく使うことができないでいるということだと思います（ここでの高学歴とは、有名大学を出たという意味ではなく、大学院を出たということです。どれほど有名な大学であろうと学部卒は学部卒以上ではありません）。また博士課程を出た人も、狭い意味での研究職（大学教員、研究所所員など）しか眼中にないのも問題です。博士課程を修めて、アカデミズム以外の広い社会で活躍している人は世界にはたくさんいます。日本の大学院での、キャリア指導にも問題があると思います。

個人的な思いとしては、本書で紹介したような探究型の学習は、大学院を修了した人、とりわけ博士号を取得した人に任せるといいのではないかと思います。高校までの勉強と大学での研究にあまりに大きなギャップがあるのは問題です。総合的な探究はそれを埋めるための科目です。

実際に、公立高校の教員採用試験で、博士号取得者を対象にした特別な選考を行う自治体が出てきています。しかしまだほんの一部の自治体でしか採用が行われていないのが現実です。探究の時間を、大学の一年次の演習科目の先取りと考えるならば、まさしくこの科目は文系・理系を問わず博士号取得者に門戸を開くべきではないでしょうか。高等学校の教員免許状は必要なく、特別免許状が必要とされるだけです。このポスドクの採用が、日本の教育を再び先進国のレベルに引き上げる大きなチャンスであろうと思います。

謝辞
本研究は以下の日本学術振興会科学研究費助成事業の成果の一環です。
新学術領域補助金計画班「顔と身体表現の比較現象学」(17H06346)

基盤研究（A）「生態学的現象学による個別事例学の哲学的基礎付けとアーカイブの構築」（17H00903）

二〇二〇年一二月

河野哲也

ちくまプリマー新書

120
文系？　理系？
――人生を豊かにするヒント
志村史夫
「自分は文系（理系）人間」と決めつけてはもったいない。素直に自然を見ればこんなに感動的な現象に満ちている。「文理（芸）融合」精神で本当に豊かな人生を。

280
高校図書館デイズ
――生徒と司書の本をめぐる語らい
成田康子
北海道・札幌南高校の図書館。そこを訪れる生徒たちが、本を介し司書の先生に問わず語りする。生徒の人数分だけある、それぞれの青春と本とのかけがえのない話。

352
部活魂！
この文化部がすごい
読売中高生新聞編集室
運動部だけが部活じゃない！　全国の様々な文化部でも、仲間と熱くなり、時には対立しながら、成長を遂げていくドラマがある。心を震わせる情熱ノンフィクション。

002
先生はえらい
内田樹
「先生はえらい」のです。たとえ何ひとつ教えてくれなくても。「えらい」と思いさえすれば学びの道はひらかれる。――だれもが幸福になれる、常識やぶりの教育論。

156
女子校育ち
辛酸なめ子
女子100％の濃密ワールドの洗礼を受けた彼女たちは、卒業後も独特のオーラを発し続ける。文化祭や同窓会潜入も交え、知られざる生態が明らかに。ＬＯＶＥ女子校！

ちくまプリマー新書

099
なぜ「大学は出ておきなさい」と言われるのか——キャリアにつながる学び方
浦坂純子
将来のキャリアを意識した受験勉強の仕方、大学の選び方、学び方とは？　就活を有利にするのは留学でも資格でもない！　データから読み解く「大学で何を学ぶか」。

105
あなたの勉強法はどこがいけないのか？
西林克彦
勉強ができない理由を、「能力」のせいにしていませんか？「できる」人の「知識のしくみ」が自分のものになる方法を、認知心理学から、やさしくアドバイスします。

357
10代と語る英語教育——民間試験導入延期までの道のり
鳥飼玖美子
署名活動への参加や国会前でのデモなど、英語民間試験導入延期に大きな役割を担った三人に取材し、大学入試改革とは何か、英語教育はどうあるべきかを説き明かす。

321
教授だから知っている大学入試のトリセツ
田中研之輔
大学入試が変わる！　暗記じゃ答えられない問題にどう対処すれば？　ＡＯ・推薦入試にはどんな対策が必要？これまでになかった入試との向き合い方を教えます。

284
13歳からの「学問のすすめ」
福澤諭吉
齋藤孝訳・解説
近代国家とはどのようなもので、国民はどうあるべきか。今なお我々に強く語りかける、１５０年近く前に書かれたベストセラーの言葉をよりわかりやすく伝える。

ちくまプリマー新書

349
伊藤若冲
——【よみがえる天才1】
辻惟雄
私は理解されるまでに一〇〇〇年の時を待つ——江戸の鬼才が遺したこの言葉が秘める謎に、最新の研究と迫力のカラー図版で迫る、妖しくも美しい美術案内。

350
レオナルド・ダ・ヴィンチ
——【よみがえる天才2】
池上英洋
家族にも教育の機会にも恵まれず、コンプレックスだらけだった五〇〇年前の一人の青年が、なぜ名画を遺し、近代文明の夢を描く「天才」と呼ばれるに至ったか。

358
モーツァルト
——【よみがえる天才3】
岡田暁生
完璧なる優美、子どもの無垢、美の残酷と壊れたような狂気、楽しさと同居する寂しさ——モーツァルトとはいったい何者だったのか？　天才の真実を解き明かす。

362
アレクサンドロス大王
——【よみがえる天才4】
澤田典子
前人未到の大征服を成し遂げ、三二歳の若さで世を去ったアレクサンドロス。時には「英雄」として、時には「暴君」として描かれる「偉大なる王」の実像に迫る。

364
コペルニクス
——【よみがえる天才5】
高橋憲一
長く天文学の伝統であった天動説を否定し、地動説を唱えたコペルニクスによって、近代科学は大きな一歩を踏み出した。どのように太陽中心説を思いついたのか。

ちくまプリマー新書

225 18歳の著作権入門　福井健策
コピペも、ダウンロードも、リツイートも！　基礎的な知識から、デジタル化が揺さぶる創作と著作権の現状を知ろう。子どもから大人まで必読の著作権入門。

158 考える力をつける論文教室　今野雅方
まっさらな状態で、「文章を書け」と言われても、なかなか書けるものではない。社会を知り、自分を知ることから始める、戦略的論文入門。3つのステップで、応用自在。

160 図書館で調べる　高田高史
ネットで検索→解決の、ありきたりな調べものから脱出するには。図書館の達人が、基本から奥の手まで、あなたにしかできない「情報のひねり出し方」を伝授します。

217 打倒！　センター試験の現代文　石原千秋
すべての受験生におくる、石原流・読解テクニックの集大成。3年分の過去問演習に臨み、まぎらわしい選択肢を見極める力をつけよう。この一冊で対策は万全！

369 高校生からの韓国語入門　稲川右樹
ハングル、発音、文法、単語、豆知識……Twitterでも人気の「ゆうき」先生がイラストをまじえてわかりやすく解説。始めるなら、まずはこの1冊から！

ちくまプリマー新書

115 キュートな数学名作問題集 小島寛之

数学嫌い脱出の第一歩は良問との出会いから。「注目すべきツボ」に届く力を身につければ、ものごとの本質を見抜く力に応用できる。めくるめく数学の世界へ、いざ！

253 高校生からの統計入門 加藤久和

データを分析し、それをもとに論理的に考えることは、現代人に欠かせない素養である。成績、貯蓄、格差など身近な事例を用いて、使える統計思考を身につけよう！

136 高校生からのゲーム理論 松井彰彦

ゲーム理論とは人と人とのつながりに根ざした学問である——環境問題、いじめ、三国志など多様なテーマからその本質に迫る、ゲーム理論的に考えるための入門書。

223 「研究室」に行ってみた。 川端裕人

研究者は、文理の壁を超えて自由だ。自らの関心を研究として結実させるため、枠からはみだし、越境する姿は力強い。最前線で道を切り拓く人たちの熱きレポート。

347 科学の最前線を切りひらく！ 川端裕人

複雑化する世界において、科学は何を解明できるのか？古生物、恐竜、雲、サメ、マイクロプラスチック、脳など各分野をリードする六名の科学者が鋭く切り込む。

ちくまプリマー新書

151
伝わる文章の書き方教室
——書き換えトレーニング10講
飯間浩明
ことばの選び方や表現方法、論理構成をちょっと工夫するだけで、文章は一変する。ゲーム感覚の書き換えトレーニングを通じて、「伝わる」文章のコツを伝授する。

296
高校生のための
ゲームで考える人工知能
三宅陽一郎
山本貴光
今やデジタルゲームに欠かせない人工知能。どうすれば楽しいゲームになるか。その制作方法を通して、人工知能とは何か、知性や生き物らしさとは何かを考える。

305
学ぶということ
——続・中学生からの大学講義1
桐光学園＋
ちくまプリマー新書編集部編
受験突破だけが目標じゃない。学び、考え続ければ重い扉が開くこともある。変化の激しい時代を生きる若い人たちへ、先達が伝える、これからの学びかた・考えかた。

306
歴史の読みかた
——続・中学生からの大学講義2
桐光学園＋
ちくまプリマー新書編集部編
人類の長い歩みには、「これから」を学ぶヒントがいっぱいつまっている。その読み解きかたを先達に学び、君たち自身の手で未来をつくっていこう！

307
創造するということ
——続・中学生からの大学講義3
桐光学園＋
ちくまプリマー新書編集部編
技術やネットワークが進化した今、一人でも様々なことができるようになってきた。新しい価値観を創る力を身につけて、自由な発想で一歩を踏み出そう。

chikuma primer shinsho

ちくまプリマー新書372

問う方法・考える方法「探究型の学習」のために

二〇二一年四月十日　初版第一刷発行

著者　河野哲也（こうの・てつや）

装幀　クラフト・エヴィング商會

発行者　喜入冬子

発行所　株式会社筑摩書房
東京都台東区蔵前二‐五‐三　〒一一一‐八七五五
電話番号　〇三‐五六八七‐二六〇一（代表）

印刷・製本　中央精版印刷株式会社

ISBN978-4-480-68395-3 C0200 Printed in Japan